ÉCRIT ET ILLUSTRÉ PAR ALEX A.

D'après une idée originale d'Alex A.

PRESSES AVENTURE, une division de
LES PUBLICATIONS MODUS VIVENDI INC.
55, rue Jean-Talon Ouest
Montréal (Québec) H2R 2W8
CANADA
www.groupemodus.com

Éditeur : Marc G. Alain
Responsable de collection : Marie-Eve Labelle
Auteur et illustrateur : Alex A.
Infographiste : Vicky Masse
Correctrice : Mireille Lévesque

Dépôt légal — Bibliothèque et Archives nationales du Québec, 2014
Dépôt légal — Bibliothèque et Archives Canada, 2014

ISBN 978-2-89660-912-3

Nous reconnaissons l'aide financière du gouvernement du Canada par l'entremise du Fonds du livre du Canada pour nos activités d'édition.

Gouvernement du Québec — Programme de crédit d'impôt pour l'édition de livres — Gestion SODEC

Imprimé en Chine en mars 2015

L'ULTIME SYMBOLE ABSOLU

PRESSES AVENTURE

POUR VANESSA,
À QUI JE DOIS LE PERSONNAGE
DE RENARD À LA PAGE 6...
ET TOUS MES FUTURS
PERSONNAGES DE RENARD.

LES TERRES ROUGES...

FÉLICITATIONS, CASSANDRA. FRANCHIR LES ÉCHELONS COMME VOUS L'AVEZ FAIT, ET DEVENIR CHEF D'UN ÉDIFICE DE L'AGENCE AUSSI VITE, C'EST UN EXPLOIT!
MERCI, MAIS JE N'AURAIS RIEN PU FAIRE SANS MA BONNE VIEILLE AMIE.
MARTHA! COMMENT VAS-TU?
TRÈS BIEN. ET JE SUIS TRÈS CONTENTE POUR TOI.
T'AURAS DES CONSEILS À ME DONNER? ÇA FAIT DÉJÀ UN AN QUE TU AS TON PROPRE ÉDIFICE, TOI. TU T'EN SORS BIEN?
C'EST ÉNORMÉMENT DE RESPONSABILITÉS. MAIS JE CROIS QUE JE M'EN SORS BIEN.
FAUT DIRE QUE T'AS L'AGENT S AVEC TOI. MOI, JE DOIS ENCORE ME MONTER UNE ÉQUIPE D'AGENTS.
IL Y A PLEIN DE BONS CANDIDATS, NE T'INQUIÈTE PAS. CE NE SONT PAS LES AGENTS QUI MANQUENT ICI.
PEUT-ÊTRE... MAIS JE DOIS AUSSI TRAVAILLER AVEC CETTE HORRIBLE MALÉDICTION SUR MA TÊTE...
ARRÊTE! TU SAIS BIEN QUE CE NE SONT QUE DES SUPER-STITIONS RIDICULES.
POURTANT, TU SAIS COMME MOI QUE ÇA TOURNE TOUJOURS TRÈS MAL QUAND L'AGENCE DÉCIDE D'INSTALLER UN ÉDIFICE SUR LES TERRES ROUGES.
OUI MAIS, ILS NE T'AVAIENT PAS COMME CHEF.
... ET POURTANT.

VOUS ÊTES PRÊTE POUR L'INAUGURATION, MADAME?
OH, OUI! J'ARRIVE
AUJOURD'HUI, NOUS COMMENÇONS UN NOUVEAU CHAPITRE DANS L'HISTOIRE DE L'AGENCE.
Z
MALGRÉ UN PASSÉ DIFFICILE SUR CE CONTINENT, NOUS SOMMES MAINTENANT PRÊTS À AFFRONTER TOUS SES DANGERS.
JE VOUS PRÉSENTE DONC...
L'ÉDIFICE Z!

COMME LA TRADITION LE VEUT, JE VAIS MAINTENANT DÉMARRER LE SYSTÈME D'ALIMENTATION, ET L'ÉDIFICE SERA OFFICIELLEMENT EN MARCHE.
ESPÉRONS QUE TOUT SE PASSERA BIEN!
TWIIINE
CRIIIIIK
OHHH!
CLAP
CLAP
CLAP
CLAP
CLAP
CLAP
HUM?
CLAP
CLAP

... CASSANDRA?
TZ
TZ!
TZ.
TZ
TZ

OH NON.
TOUT LE MONDE À TERRE!

KABOUM

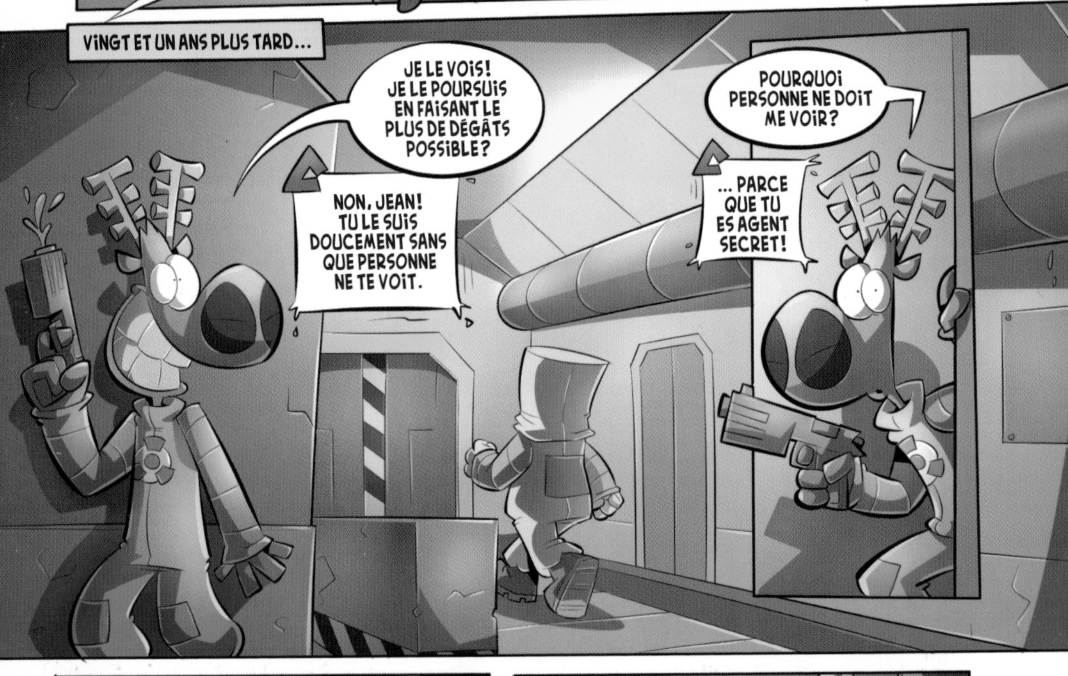
VINGT ET UN ANS PLUS TARD...
JE LE VOIS! JE LE POURSUIS EN FAISANT LE PLUS DE DÉGÂTS POSSIBLE?
NON, JEAN! TU LE SUIS DOUCEMENT SANS QUE PERSONNE NE TE VOIT.
POURQUOI PERSONNE NE DOIT ME VOIR?
... PARCE QUE TU ES AGENT SECRET!

AHHHHH! ....
JE T'EXPLIQUERAI PLUS TARD. ALLEZ, FONCE!

... ET ALORS?

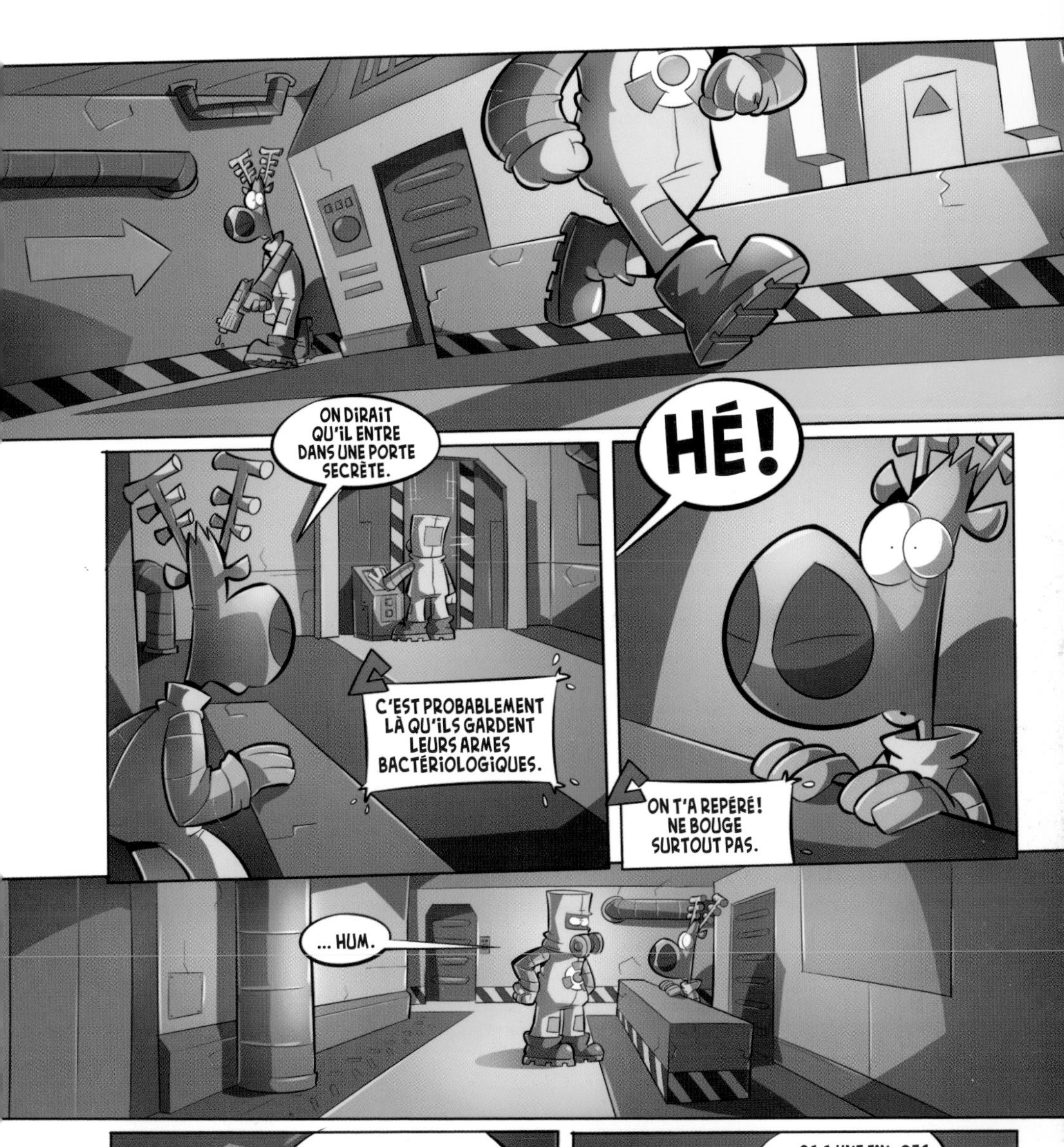
ON DIRAIT QU'IL ENTRE DANS UNE PORTE SECRÈTE.
C'EST PROBABLEMENT LÀ QU'ILS GARDENT LEURS ARMES BACTÉRIOLOGIQUES.
HÉ!
ON T'A REPÉRÉ! NE BOUGE SURTOUT PAS.
... HUM.

JE NE SAVAIS PAS QU'ON AVAIT POSÉ UNE TÊTE D'ORIGNAL, ICI.
IL EST VRAIMENT RÉALISTE... SAUF POUR LES NARINES, C'EST VRAIMENT RATÉ.

... ÇA A UNE FIN, CES TROUS, OU QUOI?

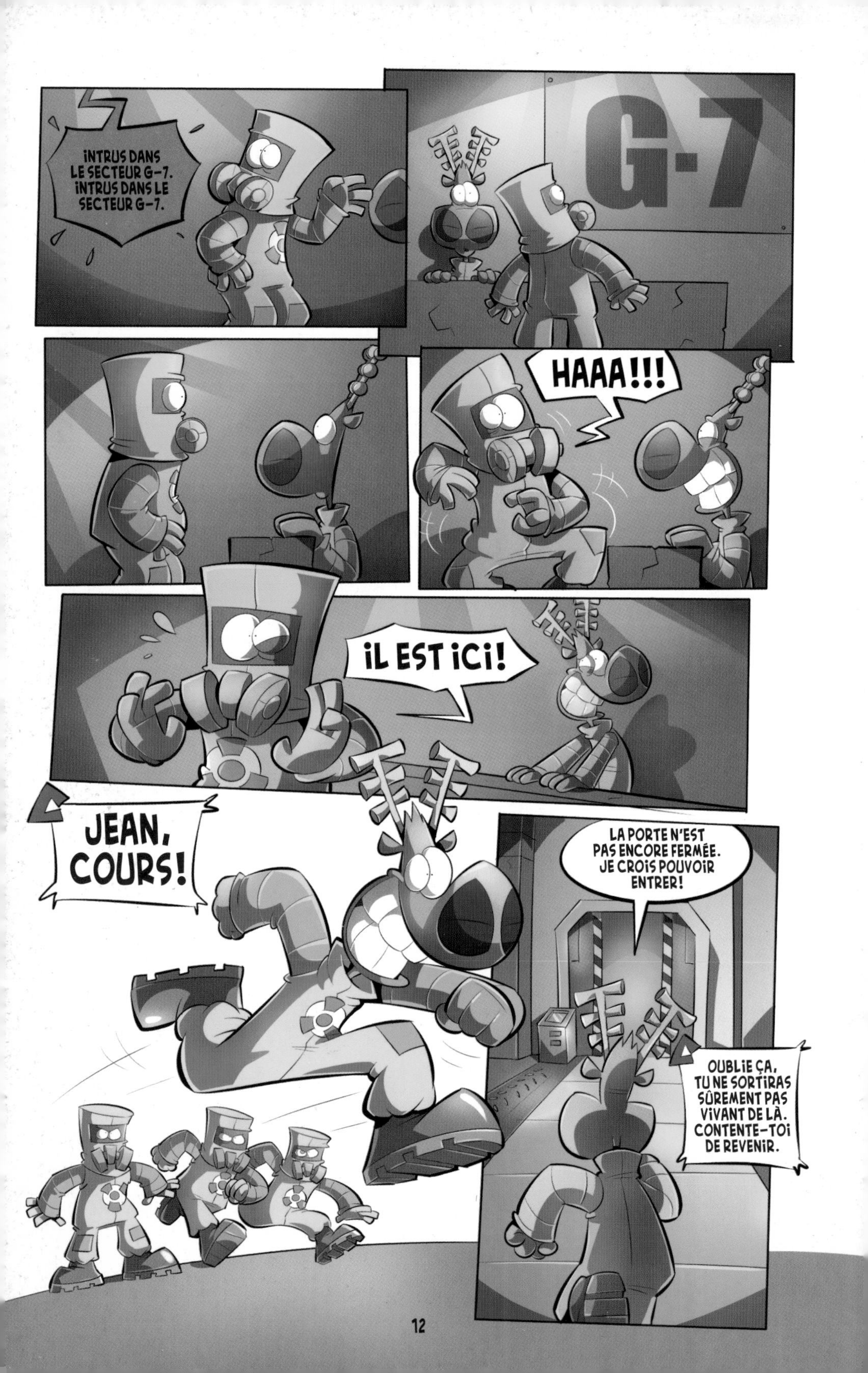
INTRUS DANS LE SECTEUR G-7. INTRUS DANS LE SECTEUR G-7.
G-7
HAAA!!!
IL EST ICI!
JEAN, COURS!
LA PORTE N'EST PAS ENCORE FERMÉE. JE CROIS POUVOIR ENTRER!
OUBLIE ÇA, TU NE SORTIRAS SÛREMENT PAS VIVANT DE LÀ. CONTENTE-TOI DE REVENIR.

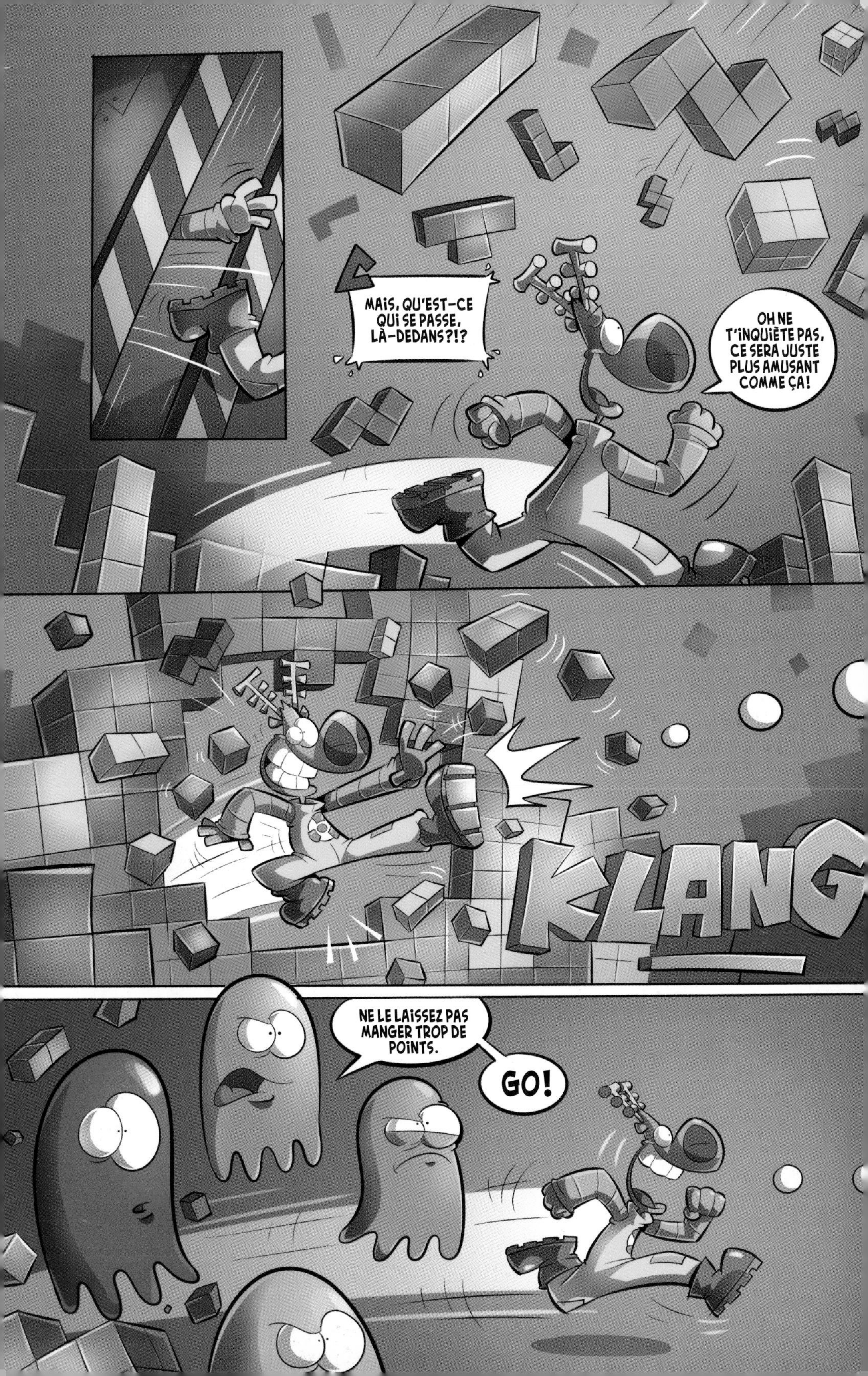

MAIS, QU'EST-CE QUI SE PASSE, LÀ-DEDANS?!?
OH NE T'INQUIÈTE PAS, CE SERA JUSTE PLUS AMUSANT COMME ÇA!
KLANG
NE LE LAISSEZ PAS MANGER TROP DE POINTS.
GO!

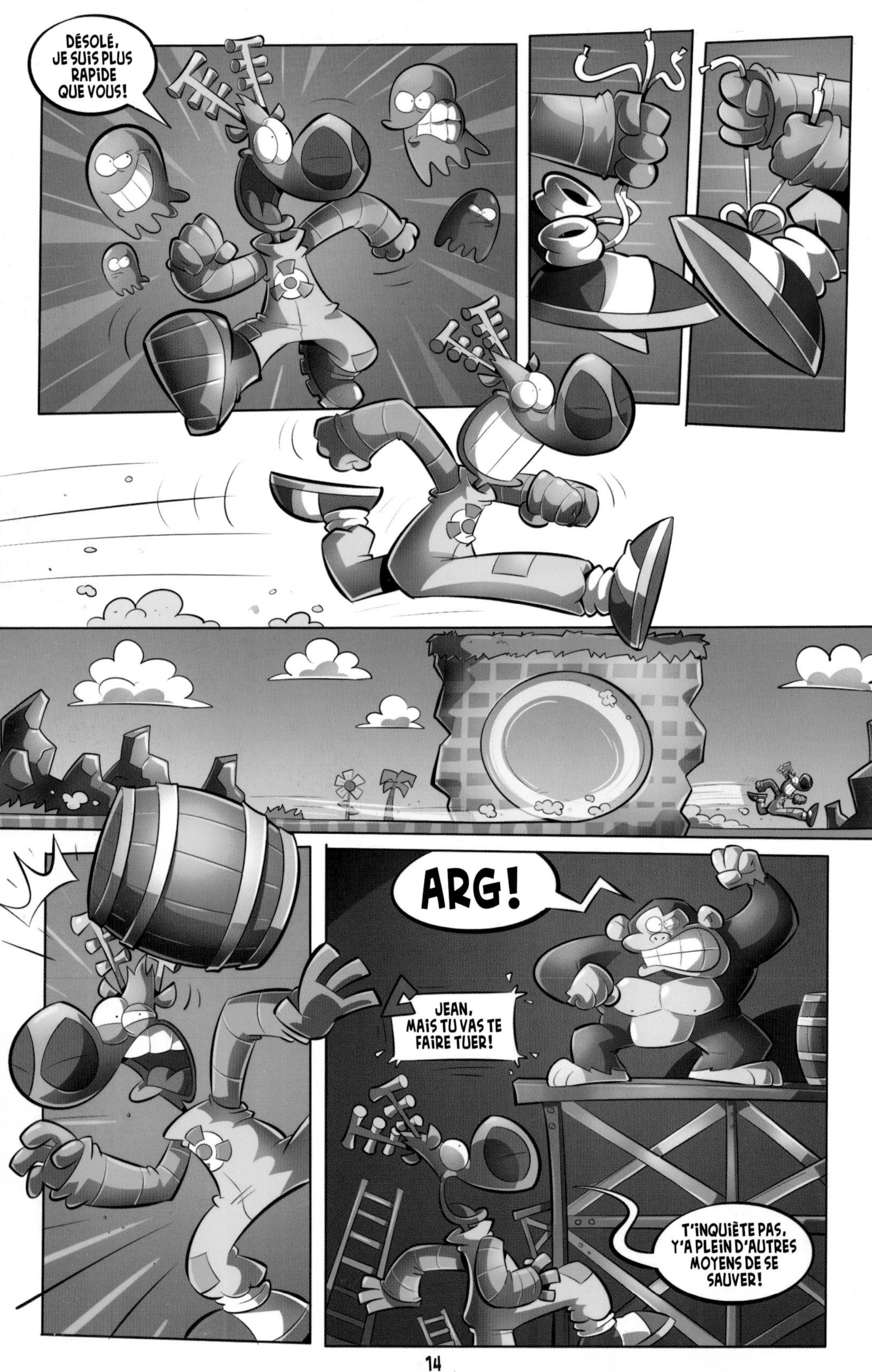
DÉSOLÉ, JE SUIS PLUS RAPIDE QUE VOUS!
ARG!
JEAN, MAIS TU VAS TE FAIRE TUER!
T'INQUIÈTE PAS, Y'A PLEIN D'AUTRES MOYENS DE SE SAUVER!

TIENS, PRENDS ÇA!
HÉ! JE SUIS ENCORE LÀ-DEDANS, MOI!
AÏE!
POC!
AÏE, MA FACE!
EXCUSEZ!
HA! HA! JE VAIS GAGNER!

BiNGO!

SALUT! JE PEUX T'AIDER?
ARRRG! MES ORGANES!
YAAAA!!!
OK, ON ARRÊTE.
BIP

TU AS BRANCHÉ TES JEUX VIDÉO AU SYSTÈME DE RÉALITÉ VIRTUELLE?!
OUAIS. PAS MAL COMME IDÉE, NON!
C'EST UN SYSTÈME HOLOGRAPHIQUE EXPÉRIMENTAL, JEAN! ÇA NE DOIT SERVIR QUE POUR L'ENTRAÎNEMENT!
ON N'A AUCUNE IDÉE DES CONSÉQUENCES SI ON SE MET À JOUER AVEC LES PROGRAMMES.
JE SAIS... MAIS AVOUE QUE C'ÉTAIT COOL COMME IDÉE!
OH MON DIEU T'AS LA MAIN EN FEU!!!
AH, BEN OUAIS.
Hiiiii!!!
... J'AVOUE, OUI. C'EST UNE GRANDE IDÉE.

PENDANT CE TEMPS, À L'INFIRMERIE...
T
U A S
V R A I M
MAIS COMMENT ÇA A PU ARRIVER???
OH TU SAIS, TU JOUES AU TENNIS AVEC NOÉ, ET UNE CHOSE EN ATTIRE UNE AUTRE, ET...
TU TE RETROUVES AVEC UNE RAQUETTE DANS L'ŒIL.
URGENCE!
AH, SALUT W. SALUT, MOIGNONS! VOUS ÊTES BLESSÉS VOUS AUSSI?
MON DIEU, JEAN!!! T'AS LA MAIN EN FEU!
TUT! C'EST PAS UNE RAISON POUR PASSER AVANT VOUS! VOUS ÉTIEZ LÀ LES PREMIERS, JE PEUX ATTENDRE!
PEUPLE

QUOI? MICHAEL JACKSON EST MORT?!?
PEUPLE
PSHHHH
PEUPLE

AH, JE ME SENS MIEUX! MERCI, DOCTEUR!
MAIS QU'EST-CE QUE VOUS AVEZ À TOUS VOUS BLESSER, CES TEMPS-CI?!
AVEC TOUTES LES RECHERCHES QUE J'AI À FAIRE, PENSEZ-VOUS QUE J'AI LE TEMPS DE JOUER SANS ARRÊT AU DOCTEUR?!
HU, HU! JOUER AU DOCTEUR...

DÉSOLÉ, ON A ÉTÉ TRÈS PRIS DEPUIS LE DÉPART D'AL, ON N'A PAS ENCORE TROUVÉ DE MÉDECIN À TEMPS PLEIN...
OUAIS BEN, EN ATTENDANT, J'AI PEUT-ÊTRE TROUVÉ UNE SOLUTION!

OUVERTURE DU PROGRAMME E.V.A.
TAP
TAP

POP

JE VOUS PRÉSENTE E.V.A., MON INFIRMIÈRE ARTIFICIELLE.
VEUILLEZ PRÉCISER LA NATURE DE L'URGENCE MÉDICALE.
COOL! UNE TÉLÉ QUI PARLE.
HEIN? PAS MAL! J'AI ÉTUDIÉ À FOND L'INTELLIGENCE ARTIFICIELLE DEPUIS QUELQUES SEMAINES, ET JE ME SUIS CRÉÉ UNE ASSISTANTE PERSONNELLE!
EUH, BEN MOI, J'AI UNE RAQUETTE DANS L'ŒIL.
APPRENEZ À VIVRE AVEC.
ET VOUS?
SURENTRAÎNEMENT, JE CROIS...
ARRÊTEZ UN PEU D'ÊTRE COMPLEXÉ PAR VOTRE APPARENCE...
MOI JE ME SUIS BRÛLÉ LA MAIN.
PRÉPAREZ LES OUTILS POUR L'AMPUTATION.
ÇA REPOUSSE, J'ESPÈRE?
BIEN SÛR QUE NON.
JE M'EN PASSERAI, ALORS!

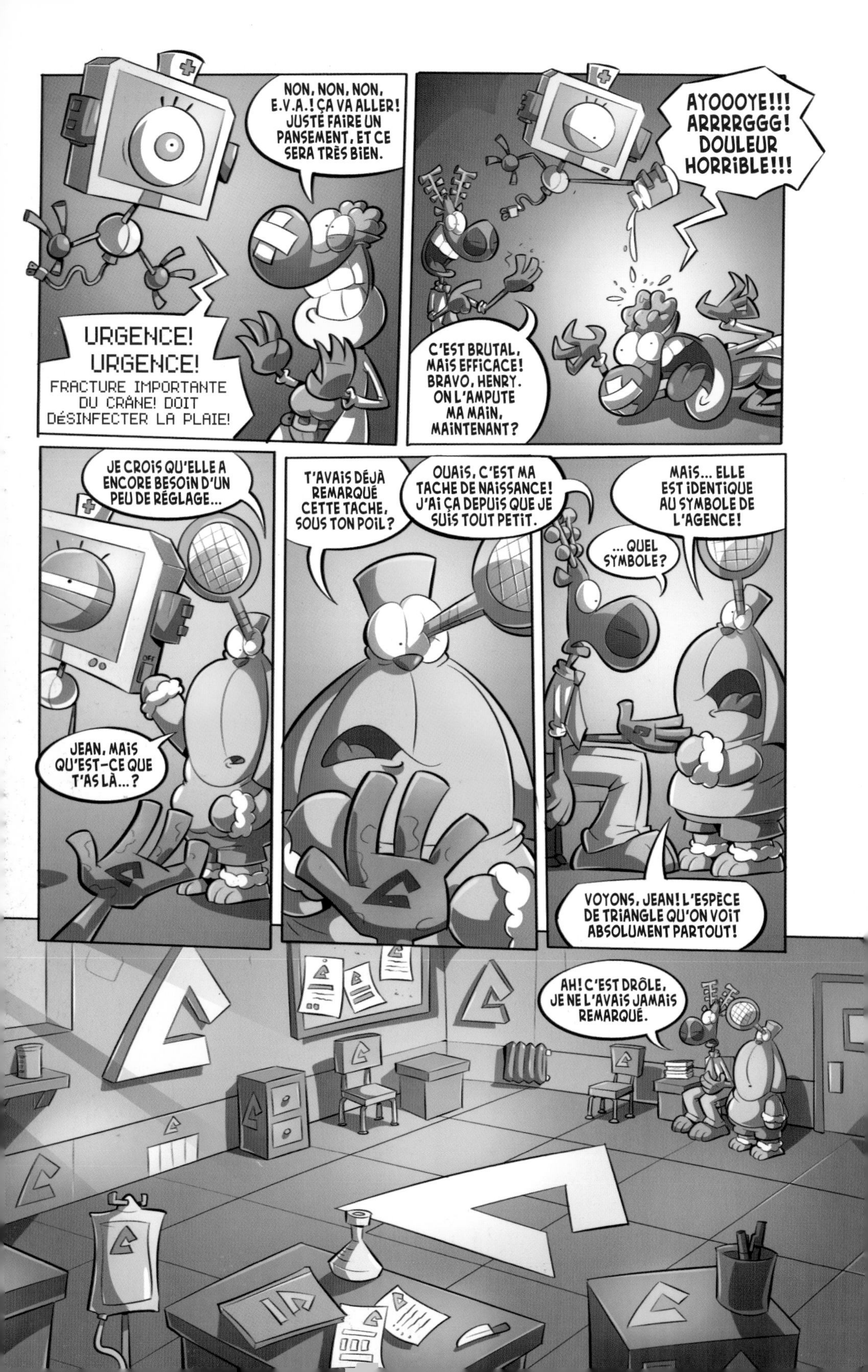
NON, NON, NON, E.V.A.! ÇA VA ALLER! JUSTE FAIRE UN PANSEMENT, ET CE SERA TRÈS BIEN.
URGENCE! URGENCE!
FRACTURE IMPORTANTE DU CRÂNE! DOIT DÉSINFECTER LA PLAIE!
AYOOOYE!!! ARRRRGGG! DOULEUR HORRIBLE!!!
C'EST BRUTAL, MAIS EFFICACE! BRAVO, HENRY. ON L'AMPUTE MA MAIN, MAINTENANT?
JE CROIS QU'ELLE A ENCORE BESOIN D'UN PEU DE RÉGLAGE...
JEAN, MAIS QU'EST-CE QUE T'AS LÀ...?
OFF
T'AVAIS DÉJÀ REMARQUÉ CETTE TACHE, SOUS TON POIL?
OUAIS, C'EST MA TACHE DE NAISSANCE! J'AI ÇA DEPUIS QUE JE SUIS TOUT PETIT.
MAIS... ELLE EST IDENTIQUE AU SYMBOLE DE L'AGENCE!
... QUEL SYMBOLE?
VOYONS, JEAN! L'ESPÈCE DE TRIANGLE QU'ON VOIT ABSOLUMENT PARTOUT!
AH! C'EST DRÔLE, JE NE L'AVAIS JAMAIS REMARQUÉ.

ÇA NE PEUT PAS ÊTRE UNE COÏNCIDENCE...
... HENRY. FAITES ANALYSER CETTE TACHE.
ET ENVOYEZ LES RÉSULTATS AU BUREAU DE MARTHA.
ALORS, ON L'AMPUTE OU PAS?!
PLUS TARD...
ON A FAIT TOUTES LES ANALYSES, MADAME. C'EST BIEN UNE TACHE DE NAISSANCE. IL L'A DEPUIS TOUJOURS.
COMMENT EST-CE POSSIBLE...
VOUS SAVEZ COMME MOI QU'IL N'Y A QU'UNE SEULE EXPLICATION À CE PHÉNOMÈNE...
JEAN SERAIT...

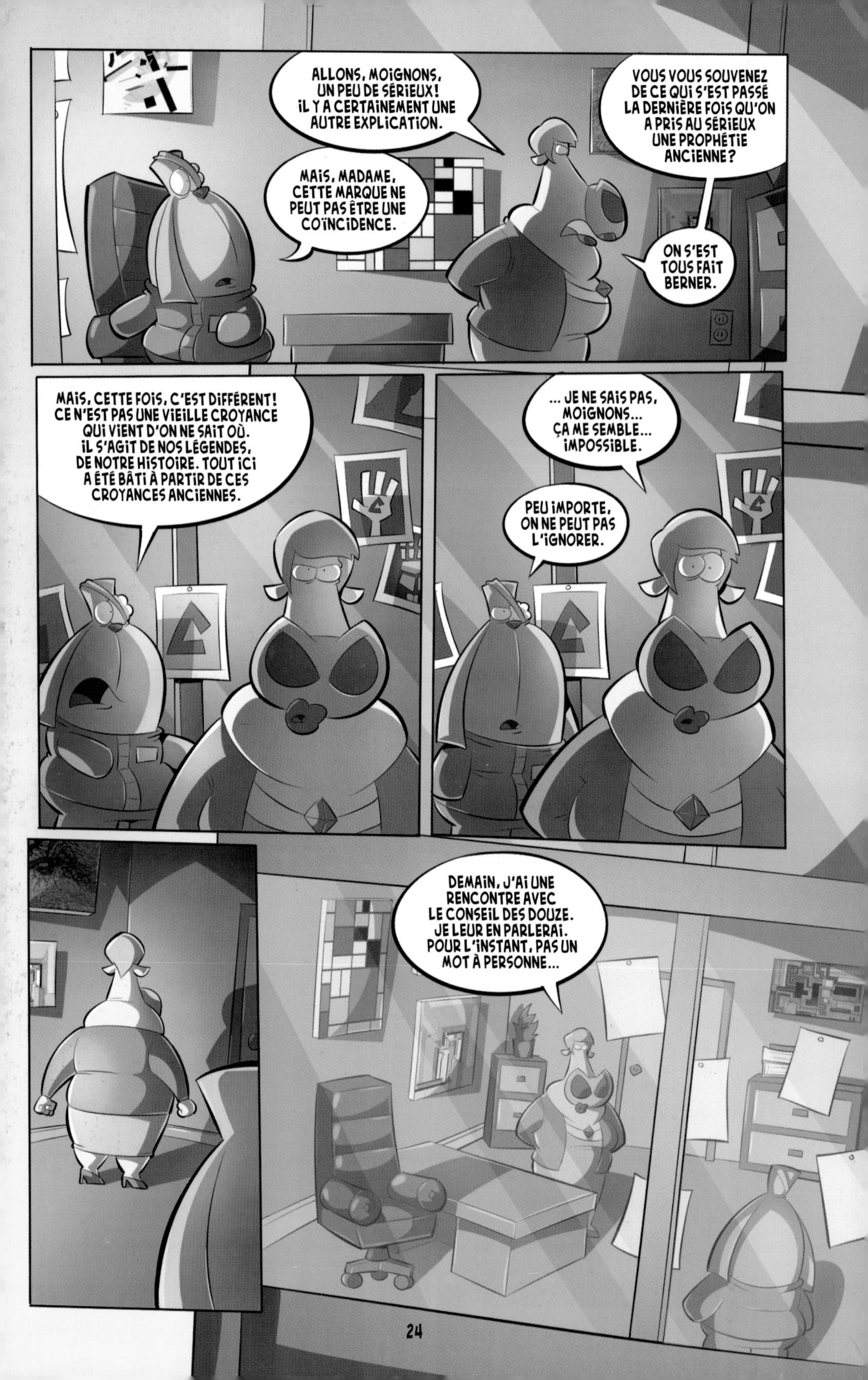
ALLONS, MOIGNONS, UN PEU DE SÉRIEUX! IL Y A CERTAINEMENT UNE AUTRE EXPLICATION.
MAIS, MADAME, CETTE MARQUE NE PEUT PAS ÊTRE UNE COÏNCIDENCE.
VOUS VOUS SOUVENEZ DE CE QUI S'EST PASSÉ LA DERNIÈRE FOIS QU'ON A PRIS AU SÉRIEUX UNE PROPHÉTIE ANCIENNE?
ON S'EST TOUS FAIT BERNER.
MAIS, CETTE FOIS, C'EST DIFFÉRENT! CE N'EST PAS UNE VIEILLE CROYANCE QUI VIENT D'ON NE SAIT OÙ. IL S'AGIT DE NOS LÉGENDES, DE NOTRE HISTOIRE. TOUT ICI A ÉTÉ BÂTI À PARTIR DE CES CROYANCES ANCIENNES.
... JE NE SAIS PAS, MOIGNONS... ÇA ME SEMBLE... IMPOSSIBLE.
PEU IMPORTE, ON NE PEUT PAS L'IGNORER.
DEMAIN, J'AI UNE RENCONTRE AVEC LE CONSEIL DES DOUZE. JE LEUR EN PARLERAI. POUR L'INSTANT, PAS UN MOT À PERSONNE...

ÉDIFICE B, PREMIER CONTINENT.
BIENVENUE À NOTRE GRANDE RENCONTRE ANNUELLE!
ET JE VOUS PRIE DE SALUER NOTRE NOUVELLE RECRUE, CELLE QUI DEVIENDRA LA CHEF DU NOUVEL ÉDIFICE T, THÉRESA!
MERCI, MERCI! J'ESPÈRE ÊTRE À LA HAUTEUR D'ONCLE ARTHUR.
POUR LA DERNIÈRE FOIS, C'EST MONSIEUR ARTHUR QUAND ON EST AU BOULOT!

POUR VOUS REMERCIER DE M'AVOIR INTÉGRÉE DANS LE CONSEIL DES DOUZE, JE VOUS AI APPORTÉ...
UNE DOUZAINE DE BEIGNETS!
OUAIS!
BANDE D'ENFANTS GÂTÉS.
C'EST MON PRÉFÉRÉ.
HÉ! PAS CELUI-LÀ ...
ALORS, QUELS SONT LES POINTS À L'ORDRE DU JOUR, GÉRARD?
ATTENDEZ, ATTENDEZ! JE CROIS QUE MARTHA A QUELQUE CHOSE D'INTÉRESSANT À DIRE AU GROUPE AVANT DE COMMENCER!
OH, ALLONS... ÇA POUVAIT ATTENDRE UN PEU.
OUI, MARTHA, DE QUOI VOULAIS-TU NOUS PARLER?
C'EST UNE NOUVELLE DÉMENTIELLE!
JE SAVAIS QUE JE N'AURAIS PAS DÛ T'EN PARLER AVANT LA RÉUNION...
SOUPIR HIER, DURANT L'EXAMEN MÉDICAL D'UN DE NOS AGENTS... L'AGENT JEAN BON, NOUS AVONS DÉCOUVERT UNE... MARQUE UN PEU ÉTRANGE SUR SA MAIN.
BIEN QUE LA FORME DE CETTE MARQUE NOUS SEMBLE PLUS QUE FAMILIÈRE, JE NE CROIS PAS QU'IL Y AIT LIEU DE S'EXCITER ENCORE...
ON PEUT LA VOIR?!
... OUI. LA VOICI.

PAR LA GRANDE LUCETA...
C'EST UNE BLAGUE?!?

JE SAIS À QUOI ÇA RESSEMBLE, MAIS NOUS DEVONS BIEN ÉTUDIER LA QUESTION AVANT DE...
C'EST L'ÉLU!
AH, SEIGNEUR...

CALMEZ-VOUS! IL S'AGIT PEUT-ÊTRE LÀ D'UNE MARQUE QUI VIENDRAIT D'AILLEURS, NON?

NOS TESTS MÉDICAUX SONT FORMELS. C'EST LÀ DEPUIS SA NAISSANCE.

L'AGENT JEAN SERAIT... LA RÉINCARNATION DU **FONDATEUR**?

IL N'Y A RIEN DE SÛR ENCORE.

MAIS AU CONTRAIRE, IL N'Y A PAS DE DOUTE! LES ANCIENS TEXTES SONT CLAIRS.
LE FONDATEUR REVIENDRA, INÉVITABLEMENT, ET NOUS LE RECONNAÎTRONS, CAR IL PORTERA NATURELLEMENT LE SYMBOLE DE LA LUMIÈRE.

ET IL FAUT DIRE QUE, DEPUIS UN AN, L'AGENT JEAN A IMPRESSIONNÉ TOUT LE MONDE ICI PLUSIEURS FOIS. SES APTITUDES SONT PLUS QUE REMARQUABLES.

IL A SAUVÉ LE MONDE SIX FOIS!

HUM... JE DIRAIS CINQ.

T'OUBLIE GABRIEL LOBE.

TECHNIQUEMENT, C'EST CHOUPETTE LE PANDA QUI L'A ARRÊTÉ CETTE FOIS-LÀ.

AH OUI, C'EST VRAI.

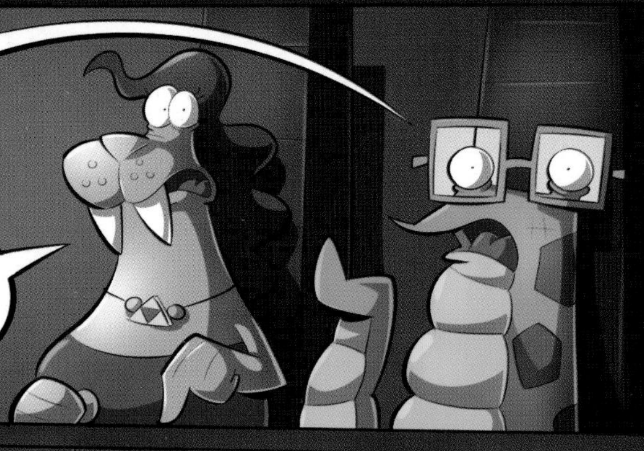
CE SERAIT QUAND MÊME GIGANTESQUE COMME NOUVELLE SI C'ÉTAIT VRAI! VOUS VOUS RENDEZ COMPTE? L'AGENCE ATTEND CE MOMENT DEPUIS PLUS DE 12 000 ANS!
JUSTEMENT! ÇA FAIT SI LONGTEMPS QUE CETTE PROPHÉTIE A ÉTÉ ÉCRITE, NOUS NE SOMMES MÊME PAS CERTAINS DE CONNAÎTRE SES ORIGINES! NOUS NE POUVONS PAS DONNER LE PLEIN POUVOIR AU PREMIER VENU, CE SERAIT INSENSÉ.

ET QUE FAITES-VOUS DU CASTOR?
QU'EST-CE QU'IL VIENT FAIRE LÀ-DEDANS?
IL EST AUSSI DIT DANS LES TEXTES QUE L'ÉLU REVIENDRA POUR ARRÊTER UNE GRANDE MENACE. LE CASTOR EST CLAIREMENT REVENU. L'APPEL QU'IL A FAIT À MARTHA LE MOIS DERNIER LE PROUVE AU-DELÀ DE TOUT DOUTE.

EFFECTIVEMENT. LA DÉCOUVERTE DE CETTE MARQUE ARRIVE À UN MOMENT CRUCIAL.
JE N'AI JAMAIS CRU AUX COÏNCIDENCES.
JUSTEMENT...
MOI NON PLUS.
BON, VOUS CONNAISSEZ TOUS LA PROCÉDURE À APPLIQUER DANS UN CAS SEMBLABLE. L'ÉLU DEVRA ACCÉDER AU TITRE PLUS QUE PRESTIGIEUX... D'AGENT AAA...
COMME LES PILES.
CE TITRE CONSISTE À DONNER ABSOLUMENT LE PLEIN POUVOIR À UN AGENT! IL NE RÉPONDRA PLUS À AUCUNE AUTORITÉ! ON EST VRAIMENT PRÊTS À ACCEPTER CETTE IDÉE?

JE CROIS QU'UN VOTE S'IMPOSE.
MES AMIS, POUR EN DÉCIDER, LA DÉCISION DOIT ÊTRE PRISE...
À L'UNANIMITÉ.
DONC... ACCEPTEZ-VOUS QUE L'AGENT JEAN SOIT PROMU, ET CE À PARTIR DE MAINTENANT AU TITRE HONORIFIQUE D'AGENT AAA...
COMME LES PILES...
VOTONS MAINTE...
ATTENDEZ UN PEU AVANT DE VOUS LANCER! J'AI QUELQUES ARGUMENTS, MOI AUSSI!
LE CASTOR!?!
HAAA!!!
CALMEZ-VOUS, CALMEZ-VOUS. JE SERAI BREF!

BON, J'AIMERAIS ABORDER LE PROBLÈME DU SYSTÈME INFORMATIQUE. IL EST BEAUCOUP TROP FACILE À PIRATER!

UN GROS MÉCHANT VILAIN POURRAIT S'Y INTRODUIRE ET DÉCIDER DE... JE SAIS PAS MOI...
FAIRE EXPLOSER QUELQUES MISSILES!

BOUM
BOUM
HAAAA!!!
HA! HA! DÉSOLÉ, C'ÉTAIT UNE BLAGUE. POUR L'INSTANT, J'AI SEULEMENT PIRATÉ VOTRE SYSTÈME DE COMMUNICATION...
MAIS POUR VOTRE SYSTÈME D'ARMEMENT, ÇA VIENDRA...
ESPÈCE D'ORDURE!!
TUT, TUT, JE N'AI PAS ÉPUISÉ MON TEMPS DE PAROLE.

ENSUITE, VOUS ÊTES UN TRÈS BEAU GROUPE! CE SERAIT DOMMAGE QU'IL... EXPLOSE. UNE BOMBE EN DESSOUS D'UNE CHAISE, C'EST UN ACCIDENT DOMESTIQUE SI COURANT!
HAAA!
HÉ, HÉ, MAIS NON. JE BLAGUE ENCORE! ARRÊTEZ DE PANIQUER COMME ÇA, VOYONS! VOUS ÊTES L'AGENCE! VOUS DEVEZ AVOIR DES SYSTÈMES DE SÉCURITÉ À TOUTE ÉPREUVE. JE SUIS SÛR QUE VOUS SAUREZ PARFAITEMENT GÉRER MON PROCHAIN PLAN DÉMONIAQUE.
ET SI CE N'EST PAS LE CAS, EH BIEN... BONNE VISITE EN ENFER!
CIAO!
SHHHHHH...
ALORS... NOUS... NOUS ALLONS PASSER AU VOTE...
CEUX QUI SONT POUR QUE L'ÉLU NOUS SAUVE TOUS, LEVEZ LA MAIN

... MARTHAAA...
JE NE PEUX PAS...
J'Ai VRAiMENT LE SENTiMENT QUE JEAN N'EST PAS LA SOLUTiON MiRACLE À TOUS NOS PROBLÈMES...
TES SENTiMENTS, HEiN... ON SAiT OÙ ÇA NOUS A MENÉS iL Y A ViNGT ANS...

LA PROPOSITION
EST ADOPTÉE.

MARTHA, JE PEUX VOUS PARLER?
BIEN SÛR, ENTREZ.

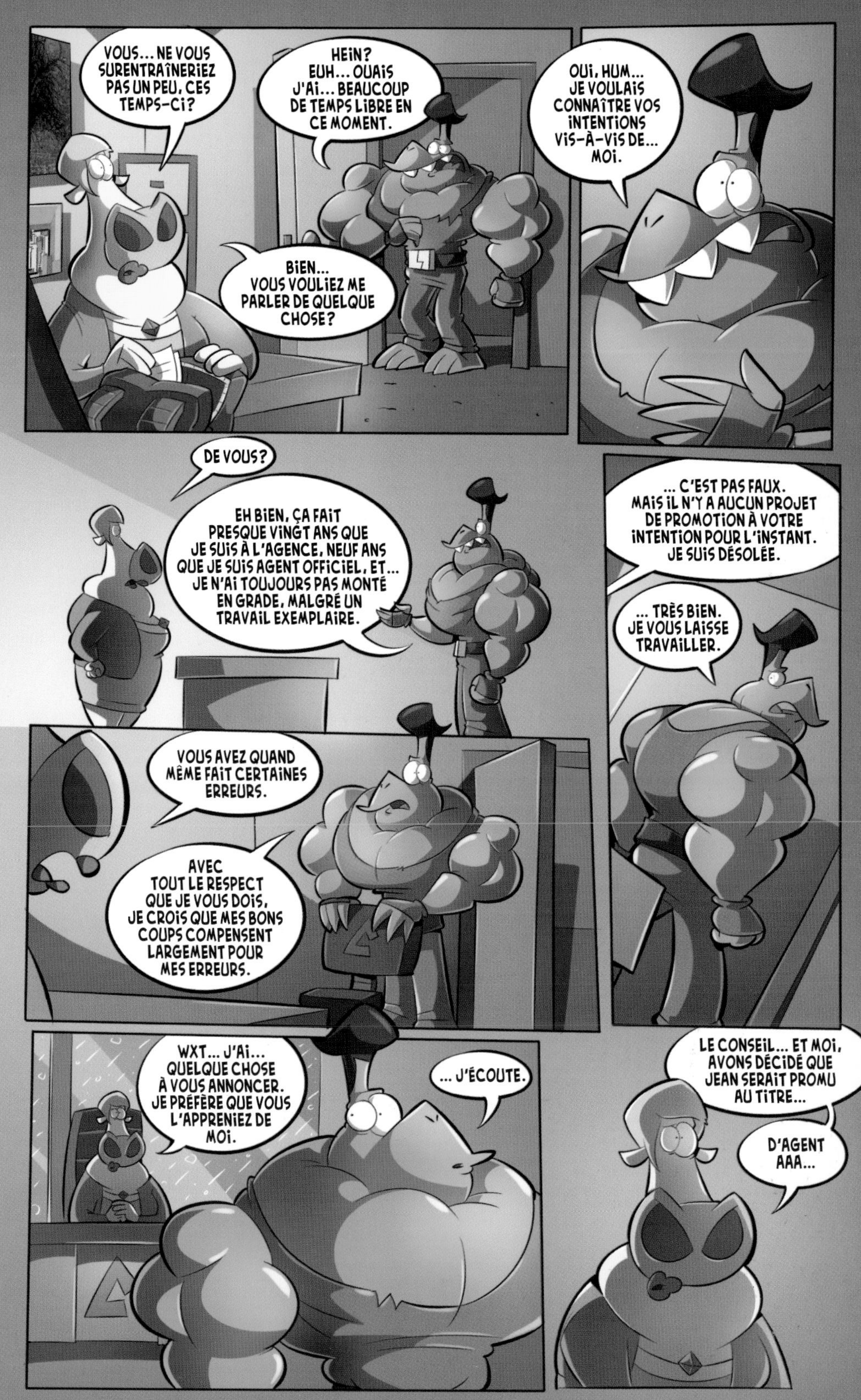
VOUS... NE VOUS SURENTRAÎNERIEZ PAS UN PEU, CES TEMPS-CI?
HEIN? EUH... OUAIS J'AI... BEAUCOUP DE TEMPS LIBRE EN CE MOMENT.
BIEN... VOUS VOULIEZ ME PARLER DE QUELQUE CHOSE?
OUI, HUM... JE VOULAIS CONNAÎTRE VOS INTENTIONS VIS-À-VIS DE... MOI.
DE VOUS?
EH BIEN, ÇA FAIT PRESQUE VINGT ANS QUE JE SUIS À L'AGENCE, NEUF ANS QUE JE SUIS AGENT OFFICIEL, ET... JE N'AI TOUJOURS PAS MONTÉ EN GRADE, MALGRÉ UN TRAVAIL EXEMPLAIRE.
VOUS AVEZ QUAND MÊME FAIT CERTAINES ERREURS.
AVEC TOUT LE RESPECT QUE JE VOUS DOIS, JE CROIS QUE MES BONS COUPS COMPENSENT LARGEMENT POUR MES ERREURS.
... C'EST PAS FAUX. MAIS IL N'Y A AUCUN PROJET DE PROMOTION À VOTRE INTENTION POUR L'INSTANT. JE SUIS DÉSOLÉE.
... TRÈS BIEN. JE VOUS LAISSE TRAVAILLER.
WXT... J'AI... QUELQUE CHOSE À VOUS ANNONCER. JE PRÉFÈRE QUE VOUS L'APPRENIEZ DE MOI.
... J'ÉCOUTE.
LE CONSEIL... ET MOI, AVONS DÉCIDÉ QUE JEAN SERAIT PROMU AU TITRE...
D'AGENT AAA...

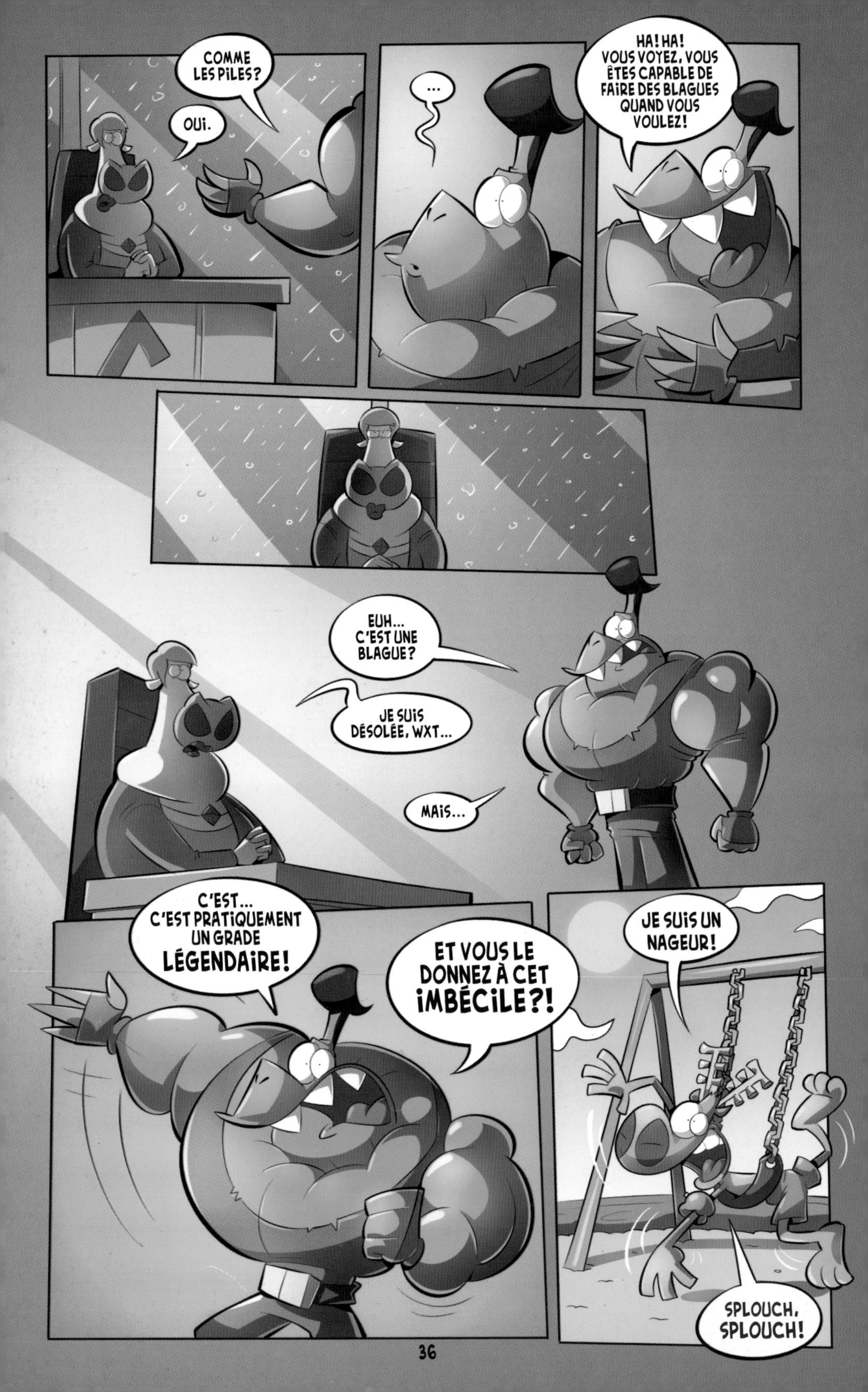
COMME LES PILES?
OUI.
...
HA! HA! VOUS VOYEZ, VOUS ÊTES CAPABLE DE FAIRE DES BLAGUES QUAND VOUS VOULEZ!
EUH... C'EST UNE BLAGUE?
JE SUIS DÉSOLÉE, WXT...
MAIS...
C'EST... C'EST PRATIQUEMENT UN GRADE LÉGENDAIRE!
ET VOUS LE DONNEZ À CET IMBÉCILE?!
JE SUIS UN NAGEUR!
SPLOUCH, SPLOUCH!

iL EST DOUÉ.
À CE POiNT-LÀ ?!
LA MAJORiTÉ DU TEMPS, iL A SiMPLEMENT DE LA CHANCE!
iL A LA MARQUE DE L'ÉLU...

ET VOUS CROYEZ CES ViEiLLES SORNETTES ?!

... NON.

ALORS QU'EST-CE QUI VOUS PREND ?!

JE NE SUiS PAS LA SEULE À DÉCiDER, VOUS LE SAVEZ.
LA DÉCiSiON EST SANS APPEL, JE SUiS VRAiMENT NAVRÉE...

ERF... BON ÇA VA, J'ARRÊTE TOUT.
QUOi?

... JE DÉMiSSiONNE.

JE DÉMiSSiONNE DE L'AGENCE.

MAIS... POURQUOI?
DEPUIS QUE JE SUIS TOUT PETIT... DEPUIS QUE VOUS M'AVEZ PRIS SOUS VOTRE AILE, CET ENDROIT, CE MÉTIER... EST TOUTE MA VIE.
ÇA A TOUJOURS ÉTÉ LA SEULE CHOSE QUI AVAIT UN SENS POUR MOI.
ET MES SEULS BUTS ONT TOUJOURS ÉTÉ DE... ME RENDRE LE PLUS LOIN POSSIBLE.
GRAVIR LES ÉCHELONS, DEVENIR UN DES AGENTS LES PLUS IMPORTANTS, LES PLUS RESPECTÉS... DEVENIR... UNE SOMMITÉ AU SEIN DE CETTE ORGANISATION. DEVENIR COMME L'AGENT S...
OU COMME VOUS.
MAIS, MAINTENANT, JE ME RENDS COMPTE QUE... CE NE SERA JAMAIS POSSIBLE. JE N'AVANCERAI PLUS. UN... IGNORANT A FAIT EN UN AN CE QUE JE NE RÉUSSIRAI JAMAIS À FAIRE EN TROIS VIES!
JE NE PEUX RIEN ACCOMPLIR ICI.
JE ME SUIS TROMPÉ.
JE M'EN VAIS, MARTHA...

PEUT-ÊTRE QU'IL Y A AUTRE CHOSE DANS CE MONDE À PART L'AGENCE.
TAC
W...
HUM ?
...

Y'A PLUS PERSONNE DE DÉGUISÉ EN OISEAU... QU'ON APPELAIT DES AAANGES!
IL N'Y A QUE DES PETITS ROBOTS, QUI PENSENT EUUH! OUAIS!
LA, LA, LA! LA, LA, LA!
SALUT, W! TU RESSEMBLES À UN NUAGE AUJOURD'HUI!
DÉGAGE.
QU'EST-CE QU'IL A?
OH IL A PEUT-ÊTRE ENCORE UN HALTÈRE DE COINCÉ ENTRE SES PECTORAUX...
TIENS! L'INVITATION OFFICIELLE À MON MARIAGE!
TU TE MARIES?!! AVEC AQUA-BILLY?!
IL S'APPELLE POLO... MAIS OUI!!!
DEPUIS QU'ON S'EST RENCONTRÉS PENDANT MA VISITE À L'ÉDIFICE C, C'EST LE GRAND AMOUR!!

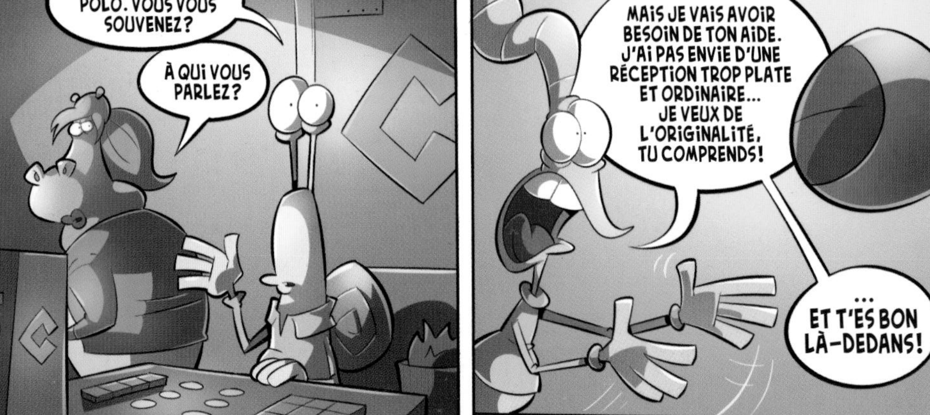
SALUT, C'EST MOI, POLO. VOUS VOUS SOUVENEZ?
À QUI VOUS PARLEZ?
MAIS JE VAIS AVOIR BESOIN DE TON AIDE. J'AI PAS ENVIE D'UNE RÉCEPTION TROP PLATE ET ORDINAIRE... JE VEUX DE L'ORIGINALITÉ, TU COMPRENDS!
... ET T'ES BON LÀ-DEDANS!

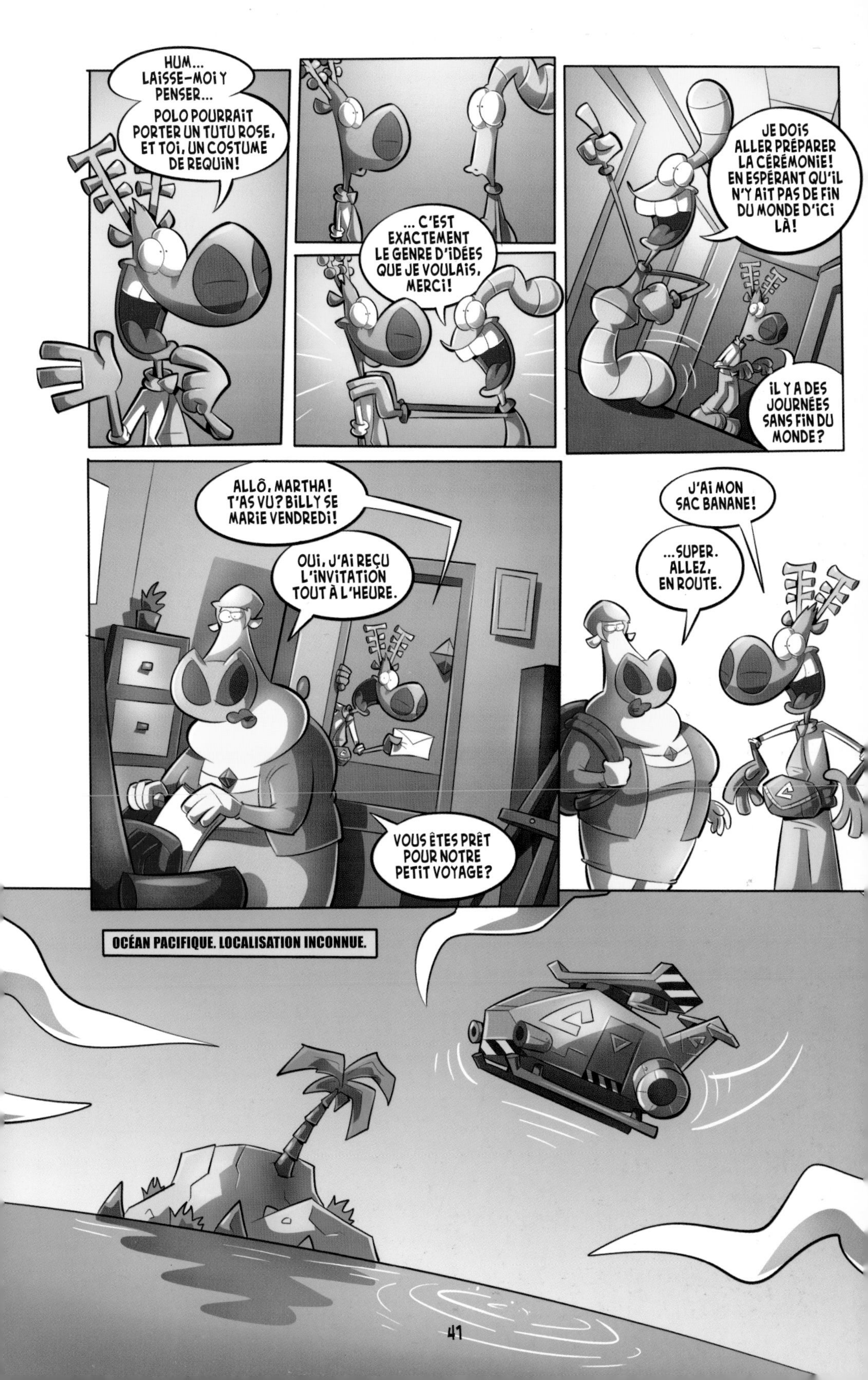

HUM... LAISSE-MOI Y PENSER...
POLO POURRAIT PORTER UN TUTU ROSE, ET TOI, UN COSTUME DE REQUIN!
... C'EST EXACTEMENT LE GENRE D'IDÉES QUE JE VOULAIS, MERCI!
JE DOIS ALLER PRÉPARER LA CÉRÉMONIE! EN ESPÉRANT QU'IL N'Y AIT PAS DE FIN DU MONDE D'ICI LÀ!
IL Y A DES JOURNÉES SANS FIN DU MONDE?
ALLÔ, MARTHA! T'AS VU? BILLY SE MARIE VENDREDI!
OUI, J'AI REÇU L'INVITATION TOUT À L'HEURE.
VOUS ÊTES PRÊT POUR NOTRE PETIT VOYAGE?
J'AI MON SAC BANANE!
...SUPER. ALLEZ, EN ROUTE.
OCÉAN PACIFIQUE. LOCALISATION INCONNUE.

QU'EST-CE QU'ON FAIT ICI? Y'A PAS GRAND-CHOSE À VOIR.
PAS POUR L'INSTANT...
BIP
BIP
BIP
0872*
BZZZZZ...
COOOOL! C'EST VRAI QU'IL EST PARTOUT CE SYMBOLE!
CE N'EST PAS UN SYMBOLE ORDINAIRE. IL A ÉTÉ CRÉÉ BIEN AVANT L'ÉCRITURE QUE NOUS UTILISONS AUJOURD'HUI.
IL REPRÉSENTE LA LUMIÈRE.
ET CETTE SCULPTURE EST PRESQUE AUSSI ANCIENNE...
ET ELLE EST RESTÉE LÀ POUR UNE RAISON.

APPROCHEZ-VOUS, ET METTEZ VOTRE MAIN DESSUS.
C'EST DE LA ROCHE.
...C'EST RUGUEUX

... C'EST AMUSANT! MAIS À QUOI ÇA SERT?
PATIENCE.

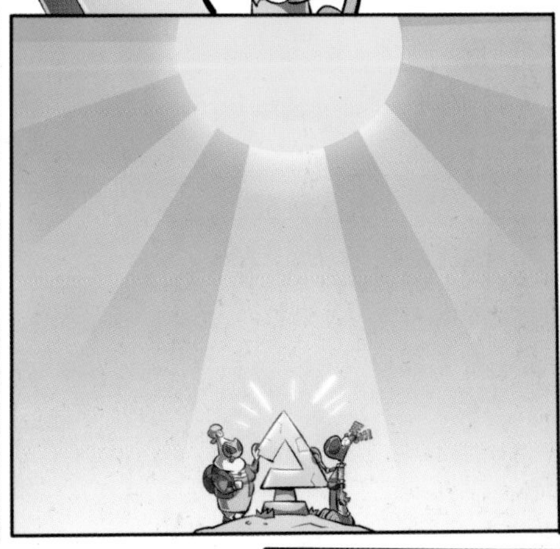

HI! HI! MAINTENANT, ÇA CHATOUILLE.

TAAANN
BIENVENUE, JEAN...
À L'ÉDIFICE ANCESTRAL.

OOOOOOOOOO
OOOOOOOOOOOO
OOOOOOOOH!
VOUS EN METTEZ UN PEU, LÀ.
EXCUSEZ...
ON EST OÙ, EXACTEMENT?
CONCRÈTEMENT? NULLE PART. CET ENDROIT NE PEUT SE TROUVER SUR AUCUNE CARTE.
COMMENT C'EST POSSIBLE?
NOUS NE SOMMES PAS SÛRS. LE PORTAIL QUE NOUS VENONS D'EMPRUNTER EST TRÈS ANCIEN. NOUS NE SAVONS MÊME PAS COMMENT IL FONCTIONNE. PEUT-ÊTRE EST-CE UNE AUTRE PLANÈTE, OU UN MICRO-UNIVERS...
JEAN, CE QUE VOUS VOUS APPRÊTEZ À VOIR EST LE TOUT PREMIER ÉDIFICE DE L'AGENCE.
LÀ OÙ TOUT...

WAAAW!!!
... A COMMENCÉ.
CLIK

IL MANQUE CERTAINS BOUTS À L'HISTOIRE, MAIS NOUS SAVONS QU'IL Y A DE ÇA PLUS DE 100 000 ANS, UNE DÉESSE DU NOM DE LUCETA EST DESCENDUE SUR TERRE.
INQUIÈTE DU SORT DE LA PLANÈTE, ELLE DONNA DE GRANDS POUVOIRS À UN ÊTRE CHOISI...
LE FONDATEUR.
CELUI QUI FONDA L'AGENCE QUE NOUS CONNAISSONS AUJOURD'HUI.
ALLÔ!
SA MISSION ÉTAIT BIEN SIMPLE. TOUT EN TRAVAILLANT DANS L'OMBRE ABSOLUE, IL DEVAIT PROTÉGER NOTRE MONDE DE LA DESTRUCTION.
TROP DE PLANÈTES DE NOTRE SYSTÈME ONT CONNU CE SORT ...
LUCETA ESTIMAIT QUE, POUR QU'UN MONDE PUISSE EXISTER LONGTEMPS, IL DEVAIT ÊTRE PROTÉGÉ.
ET LE FONDATEUR RÉUSSIT À LE FAIRE, DURANT DES MILLIERS D'ANNÉES...
ET QU'EST-CE QUI S'EST PASSÉ APRÈS?

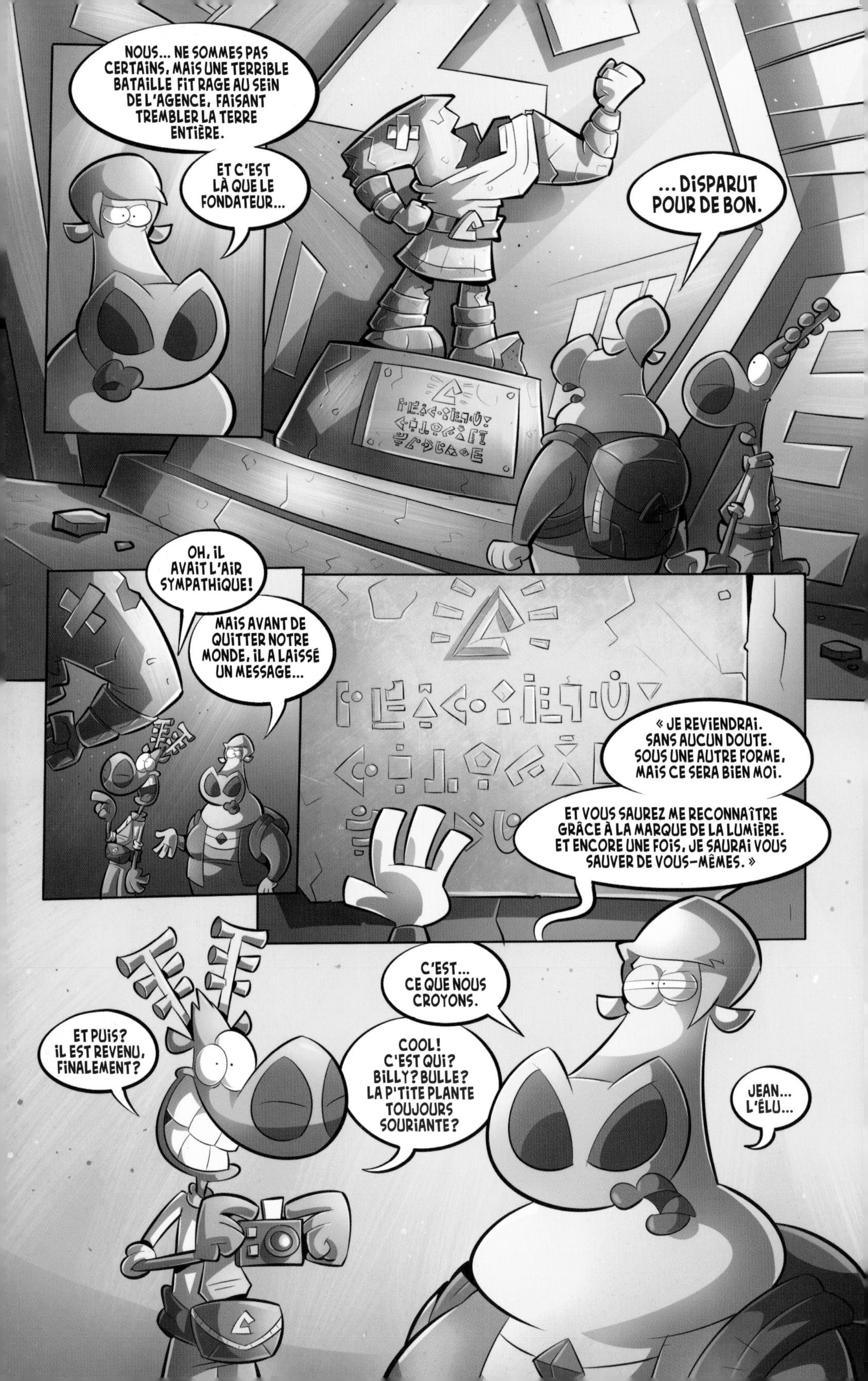
NOUS... NE SOMMES PAS CERTAINS, MAIS UNE TERRIBLE BATAILLE FIT RAGE AU SEIN DE L'AGENCE, FAISANT TREMBLER LA TERRE ENTIÈRE.
ET C'EST LÀ QUE LE FONDATEUR...
... DISPARUT POUR DE BON.
OH, IL AVAIT L'AIR SYMPATHIQUE!
MAIS AVANT DE QUITTER NOTRE MONDE, IL A LAISSÉ UN MESSAGE...
« JE REVIENDRAI. SANS AUCUN DOUTE. SOUS UNE AUTRE FORME, MAIS CE SERA BIEN MOI.
ET VOUS SAUREZ ME RECONNAÎTRE GRÂCE À LA MARQUE DE LA LUMIÈRE. ET ENCORE UNE FOIS, JE SAURAI VOUS SAUVER DE VOUS-MÊMES. »
ET PUIS? IL EST REVENU, FINALEMENT?
C'EST... CE QUE NOUS CROYONS.
COOL! C'EST QUI? BILLY? BULLE? LA P'TITE PLANTE TOUJOURS SOURIANTE?
JEAN... L'ÉLU...

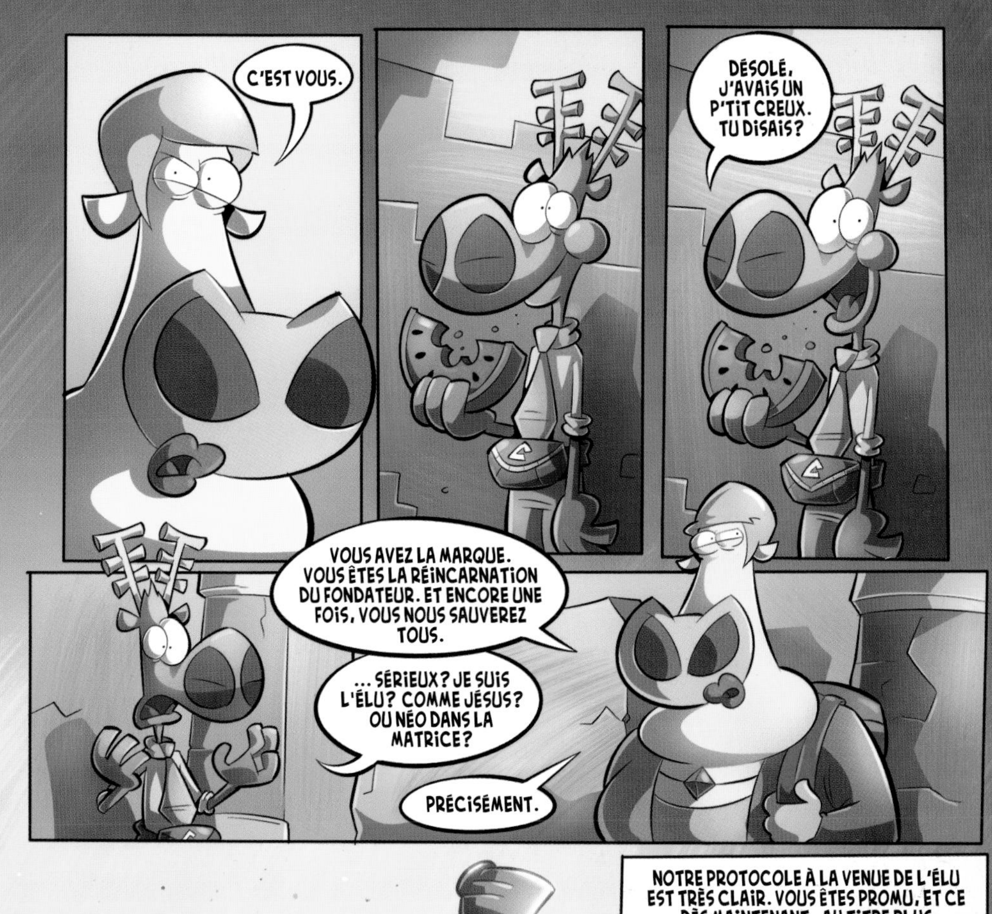
C'EST VOUS.
DÉSOLÉ, J'AVAIS UN P'TIT CREUX. TU DISAIS?
VOUS AVEZ LA MARQUE. VOUS ÊTES LA RÉINCARNATION DU FONDATEUR. ET ENCORE UNE FOIS, VOUS NOUS SAUVEREZ TOUS.
... SÉRIEUX? JE SUIS L'ÉLU? COMME JÉSUS? OU NÉO DANS LA MATRICE?
PRÉCISÉMENT.

NOTRE PROTOCOLE À LA VENUE DE L'ÉLU EST TRÈS CLAIR. VOUS ÊTES PROMU, ET CE DÈS MAINTENANT, AU TITRE PLUS QU'HONORIFIQUE D'AGENT AAA.
COMME LES PILES?

WOOOO...

COMME LES PILES.

ET ÇA DONNE QUOI?
VOUS AVEZ ACCÈS À TOUT, JEAN. TOUTE NOTRE TECHNOLOGIE, NOS HABILITÉS, TOUTES NOS CONNAISSANCES...
LES MILLIERS DE DOCUMENTS CONFIDENTIELS QUI SE TROUVENT ICI, TOUS NOS SECRETS, TOUT EST À VOUS. ET JE N'AI PLUS D'ORDRE À VOUS DONNER, VOUS ÊTES LIBRE DE FAIRE TOUT CE QUE VOUS VOULEZ, COMME VOUS LE VOULEZ.
MAIS JE NE VOUS DEMANDEREZ QU'UNE CHOSE...
LE CASTOR EST REVENU, ET CETTE FOIS, IL NOUS TIENT.
TROUVEZ UN MOYEN DE L'ARRÊTER.

SAUVEZ L'AGENCE... ET LE MONDE.

MON NOM, C'EST JEAN!

SOUPIR...
PRENEZ LE TEMPS DE FAIRE LE TOUR, ET APRÈS NOUS RENTRERONS. NOUS AVONS BEAUCOUP DE TRAVAIL DEVANT NOUS.

PLUS TARD...
P'PA! P'PA! TU DEVINERAS JAMAIS...
J'AI DÉCOUVERT QUE J'ÉTAIS COMME NÉO!!

P'PA?

SALUT, JEAN!
J'AI ÉTÉ KIDNAPPÉ PAR LE CASTOR... SI VOUS VOULEZ ME SECOURIR, VOUS ÊTES LES BIENVENUS!
P.-S. : DEMANDE À BILLY CE QU'IL AIMERAIT AVOIR COMME CADEAU DE MARIAGE.
-THÉODORE

IL... A KIDNAPPÉ PAPA?

MAIS QU'EST-CE QU'IL EST FORT CE MÉCHANT!

MARTHA! DONNE-MOI TOUS LES DOSSIERS SUR MON PÈRE...
ET SUR CE QUI S'EST PASSÉ...
...IL Y A VINGT ANS.
OH, NON...
MOIGNONS, JE VAIS DESCENDRE ICI!

MARTHA, TU ES LÀ? TU M'ENTENDS, MARTHA?!

... AGENT S... SHH... CASSANDRSHHH... EXPLOSION... SSSHH...

... CASTOR.

AAARG!!!

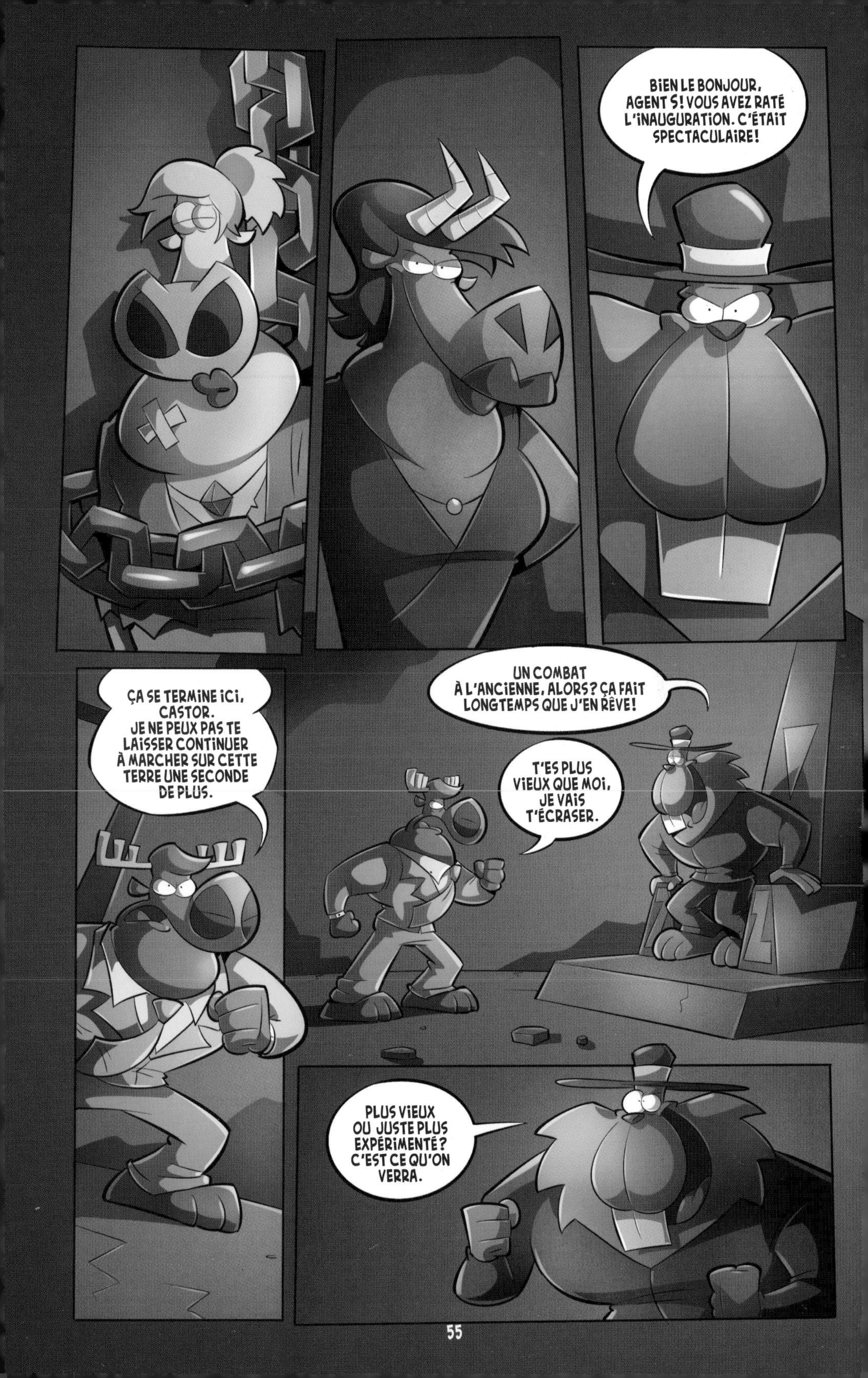
BIEN LE BONJOUR, AGENT S! VOUS AVEZ RATÉ L'INAUGURATION. C'ÉTAIT SPECTACULAIRE!
ÇA SE TERMINE ICI, CASTOR. JE NE PEUX PAS TE LAISSER CONTINUER À MARCHER SUR CETTE TERRE UNE SECONDE DE PLUS.
UN COMBAT À L'ANCIENNE, ALORS? ÇA FAIT LONGTEMPS QUE J'EN RÊVE!
T'ES PLUS VIEUX QUE MOI, JE VAIS T'ÉCRASER.
PLUS VIEUX OU JUSTE PLUS EXPÉRIMENTÉ? C'EST CE QU'ON VERRA.

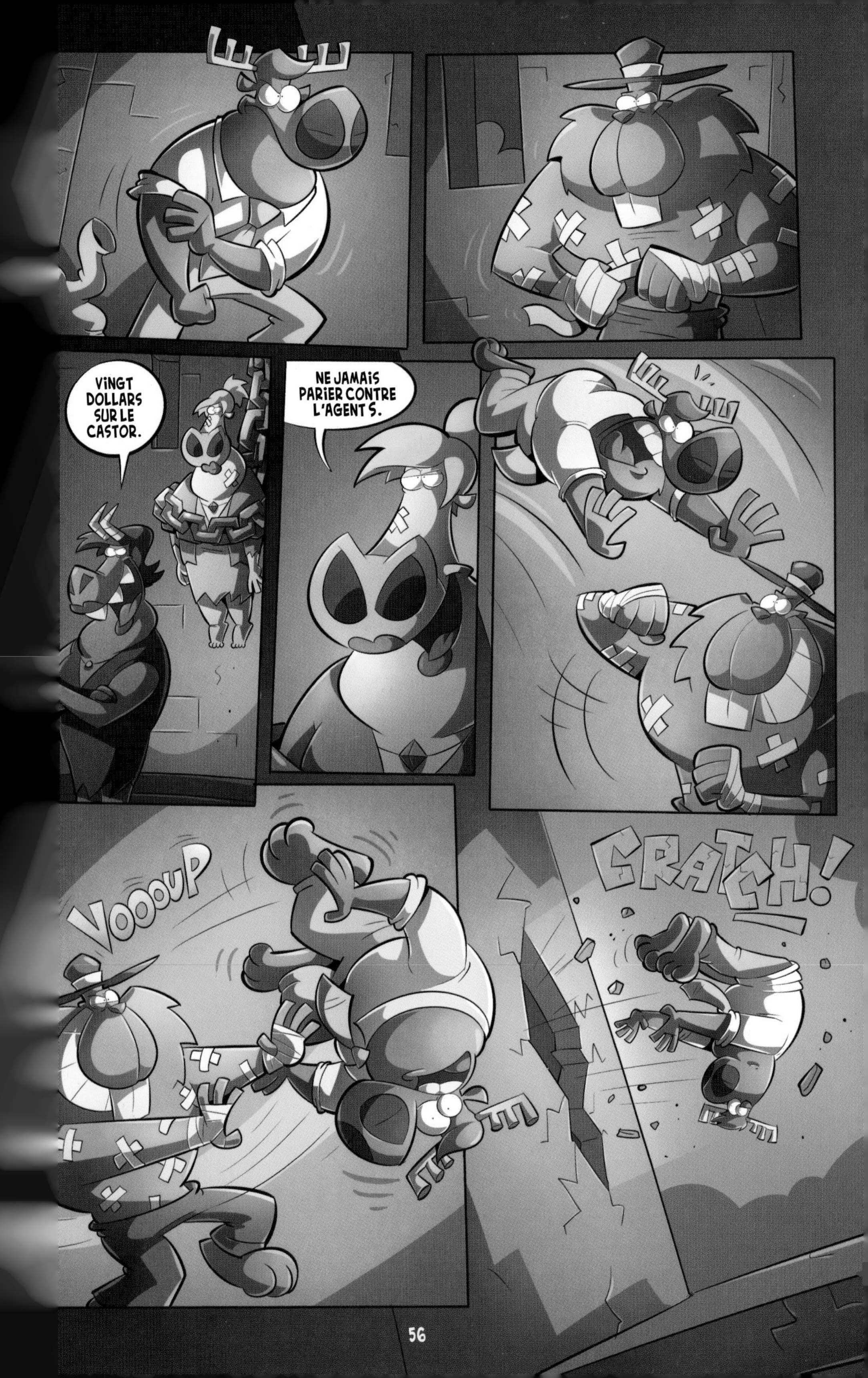
VINGT DOLLARS SUR LE CASTOR.
NE JAMAIS PARIER CONTRE L'AGENT S.
VOOOUP
CRATCH!

POURQUOI TU FAIS CET AIR? ON S'AMUSE BIEN, NON?
ARG!!!
HAAAARG!
KLAM
HÉ, HÉ, HÉ...

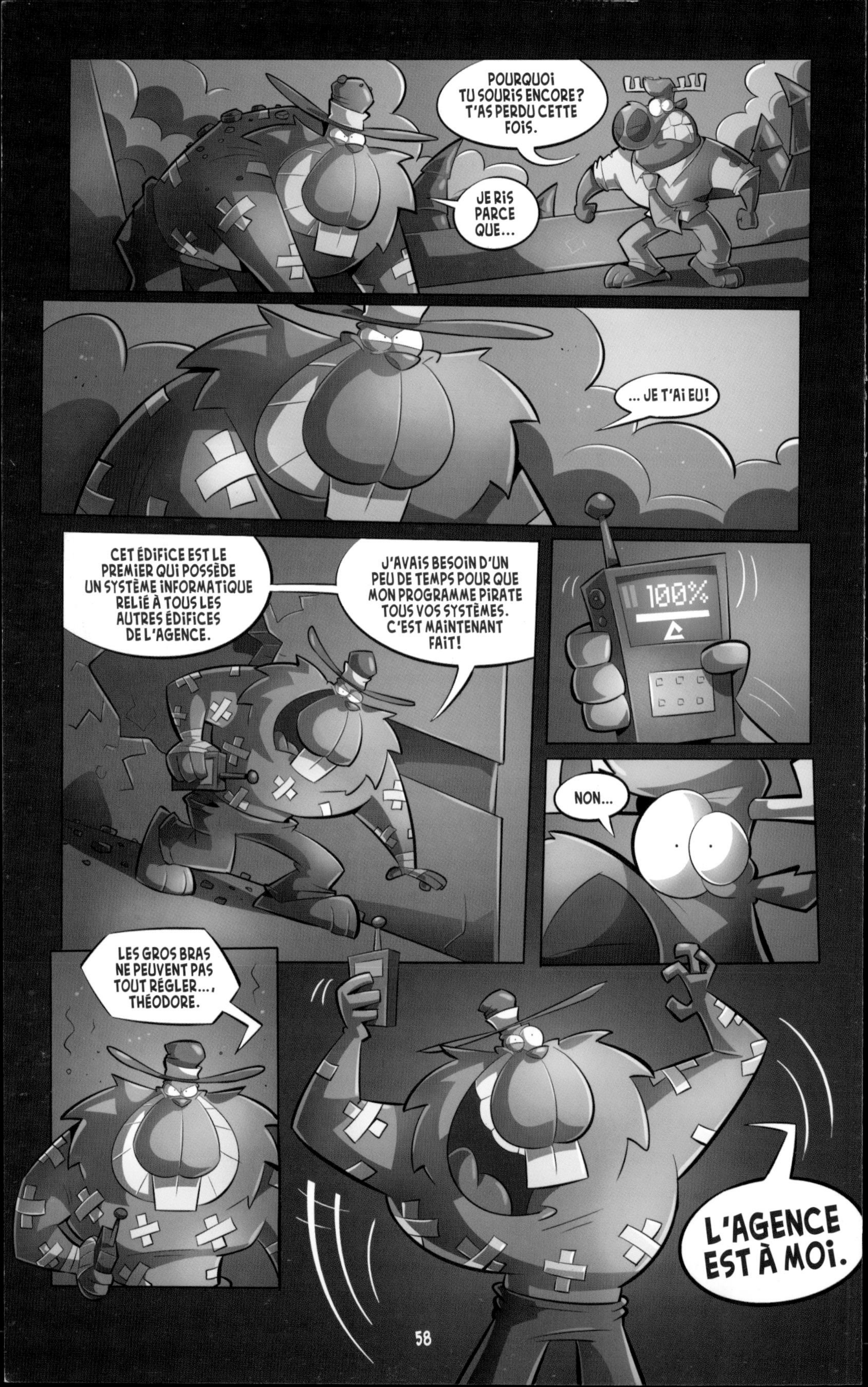
POURQUOI TU SOURIS ENCORE? T'AS PERDU CETTE FOIS.
JE RIS PARCE QUE...
... JE T'AI EU!
CET ÉDIFICE EST LE PREMIER QUI POSSÈDE UN SYSTÈME INFORMATIQUE RELIÉ À TOUS LES AUTRES ÉDIFICES DE L'AGENCE.
J'AVAIS BESOIN D'UN PEU DE TEMPS POUR QUE MON PROGRAMME PIRATE TOUS VOS SYSTÈMES. C'EST MAINTENANT FAIT!
100%
NON...
LES GROS BRAS NE PEUVENT PAS TOUT RÉGLER..., THÉODORE.
L'AGENCE EST À MOI.

OH, MAIS OÙ EST-CE QUE TU VAS, COMME ÇA?

COMME C'EST MAINTENANT TON ÉDIFICE, JE NE VOIS PAS D'OBJECTION À CE QU'IL SOIT DÉTRUIT.
QUOI?!

CRAK

QUELLE IDÉE D'ALIMENTER CET ÉDIFICE AVEC DU CRISTAL NOIR!
C'EST TELLEMENT INSTABLE.

SI TU METS CETTE BOMBE DANS LE RÉSERVOIR, TU VAS NOUS FAIRE EXPLOSER AUSSI!
J'AI EU UNE BONNE VIE. PAS TOI?

NON!!!

TOC
ARG!!!
PACLOW
BOUM

KEKROK
ICI, MADAME!
OH NON, SI ON EST POUR TOUS MOURIR, TU RESTES ICI...
BLOUBOLOM

DÉPÊCHEZ-VOUS, MADAME!
OÙ EST THÉODORE?
BOUM
JE SUIS LÀ!
TIK

MEURS!!!
THÉODORE!!!
DÉSOLÉ, MARTHA...

WOW...
C'ÉTAIT TOUT UN
HÉROS MON PAPA!
TOP SECRET

SALUT!
L'ÉLU A BESOIN
D'AIDE?
HA, HA,
TOUJOURS!
ALLEZ,
VIENS.

ON CHERCHE QUOI?
COMMENT LE CASTOR
S'EST EMPARÉ DU SYSTÈME
DE COMMUNICATION, ET LA
NATURE DE SON PLAN.
HUM...
ET TU CHERCHES
DES INDICES DANS
SES ACTIONS
PASSÉES?

OUAIP! C'EST TOUT UN MÉCHANT!
JE COMPRENDS QUE TOUT LE MONDE
À L'AGENCE AIT SI PEUR DE LUI.
ET TOI,
T'AS PEUR?
JE LE
TROUVE
PLUTÔT
COOL!

MOUAIS...
ON T'A PAS
DÉJÀ DIT
DE...
FAIRE
ATTENTION AVEC LES
SUPERVILAINS,
JE SAIS!

SI T'ES LE FILS DE THÉODORE, CROIS-TU QU'IL ÉTAIT UNE FORME D'ÉLU, LUI AUSSI?
...HÉ! PEUT-ÊTRE!
OU ALORS TU TIENS ÇA DE TA MÈRE.
EUH, MAIS J'Y PENSE... QUI C'EST, TA MÈRE?
...SAIS-TU, JE ME SUIS JAMAIS POSÉ LA QUESTION.

C'EST PEUT-ÊTRE MADAME MARTHA!
C'EST VRAI QU'ON A À PEU PRÈS LES MÊME NARINES.

JUSTEMENT, ELLE EST JUSTE LÀ!
HÉ, MARTHA! ÊTES-VOUS LA MÈRE DE JEAN?

HEIN?! BIEN SÛR QUE NON!
...

...MMMM, TU CROIS QU'ELLE MENTAIT?
POURQUOI ELLE MENTIRAIT?

ON EN AURA LE CŒUR NET TRÈS BIENTÔT.
QU'EST-CE QUE TU FAIS.

JE VAIS FAIRE UN TEST D'ADN, ON SERA FIXÉS.
T'AS L'ADN DE MARTHA?
L'ORDINATEUR DE L'AGENCE ARCHIVE L'ADN «DE PRESQUE TOUT LE MONDE» À L'AGENCE DEPUIS DES DÉCENNIES.
DONC MÊME SI CE N'EST PAS ELLE, JE TROUVERAI BIEN!
J'ESPÈRE JUSTE QU'ELLE N'EST PAS DISPARUE DANS L'INCIDENT DE L'ÉDIFICE Z...
... ÉDIFICE Z...
QUOI? QU'EST-CE QU'IL Y A?
CE N'EST PAS UN LUPUS...
C'EST UNE SARCOÏDOSE.
... HEIN?
EXCUSE-MOI, UNE BULLE A ÉCLATÉ DANS MON CERVEAU, MAIS JE CROIS QUE J'AI UNE PISTE...

JE PENSE QUE J'AI COMPRIS OÙ EST LE CASTOR...
DEMANDE À TOUTE L'ÉQUIPE DE ME RETROUVER EN SALLE DE CONFÉRENCES DANS UNE HEURE.

UNE HEURE PLUS TARD...
MERCI À TOUS D'ÊTRE VENUS!
JE VOUS AI RÉUNIS ICI, CAR... JE PENSE AVOIR COMPRIS OÙ SE CACHE...

... LE CASTOR.
1230
HAAAA!!!
HU! HU! IL EST COOL, NON?
ON VOUS ÉCOUTE, JEAN.
À NOTER QUE LES DESSINS QUI SERVIRONT À ILLUSTRER MES PROPOS ONT ÉTÉ FAITS PAR LE PETIT JÉRÉMIE, CINQ ANS.
QUI?
SALUT!
HÉ OUI, C'EST DE ÇA QU'IL A L'AIR, JÉRÉMIE.
DONC, JE CROIS QUE LE CASTOR EST DÉJÀ PARMI NOUS... CONTRE TOUTE VRAISEMBLANCE, IL SE CACHE...

ICI. DANS L'ÉDIFICE T, ACTUELLEMENT EN CONSTRUCTION DANS L'OCÉAN PACIFIQUE.
J'AI VU DANS LES DOSSIERS QUE CET ÉDIFICE ÉTAIT ALIMENTÉ GRÂCE À UN RÉSERVOIR DE GRAVITONS,
UNE FORME D'ÉNERGIE TRÈS NOUVELLE QUE LES SCIENTIFIQUES DE L'AGENCE VIENNENT DE DÉCOUVRIR.
QU'EST-CE QUI VOUS FAIT DIRE ÇA?
J'Y AI TRAVAILLÉ!
COMME C'EST UNE FORME D'ÉNERGIE TRÈS PUISSANTE, ET ENCORE MÉCONNUE, ELLE A TENDANCE À BROUILLER MÊME NOS PLUS PUISSANTS DÉTECTEURS.
N'IMPORTE QUI À PROXIMITÉ DE CE RÉSERVOIR SERAIT DONC INDÉTECTABLE POUR NOUS.
CE SERAIT DONC LA CACHETTE PARFAITE POUR LE CASTOR. TOUT PRÈS DE NOUS, MAIS INVISIBLE.
DE LÀ IL PEUT AVOIR ACCÈS À TOUTE LA TECHNOLOGIE DE L'ÉDIFICE. IL A DÉJÀ COMMENCÉ À PIRATER NOS COMMUNICATIONS.
IL REPRODUIT SIMPLEMENT CE QU'IL A TENTÉ DE FAIRE IL Y A VINGT ANS.
MAIS IL IRA PLUS LOIN CETTE FOIS...

ET JE CROIS QU'IL SE SERVIRA DE CETTE IMMENSE PUISSANCE GRAVITATIONNELLE POUR...

INVERSER LE SENS DE ROTATION DE LA TERRE!

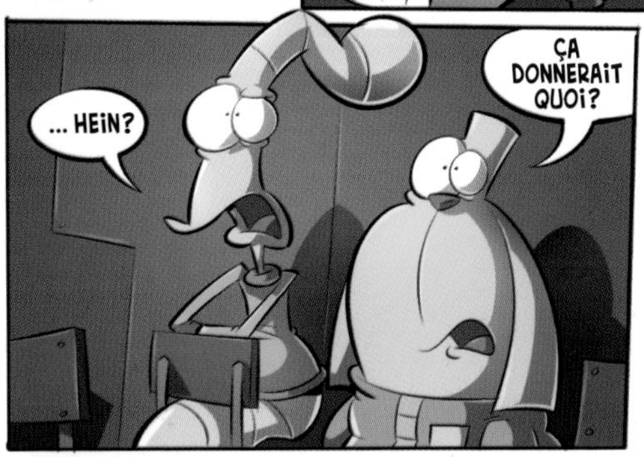
... HEIN?
ÇA DONNERAIT QUOI?

EUH, JE SAIS PAS... ÇA AURAIT SÛREMENT DES CONSÉQUENCES CATACLYSMIQUES! NON, HENRY?

EUH... C'EST... PAS IMPOSSIBLE, OUI...

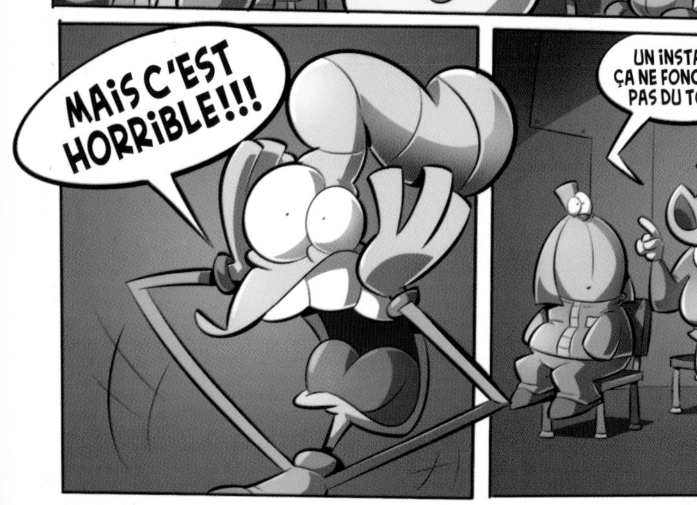
MAIS C'EST HORRIBLE!!!
UN INSTANT... ÇA NE FONCTIONNE PAS DU TOUT...
ON NE PEUT PAS SURVIVRE DANS UN RÉSERVOIR DE GRAVITONS.

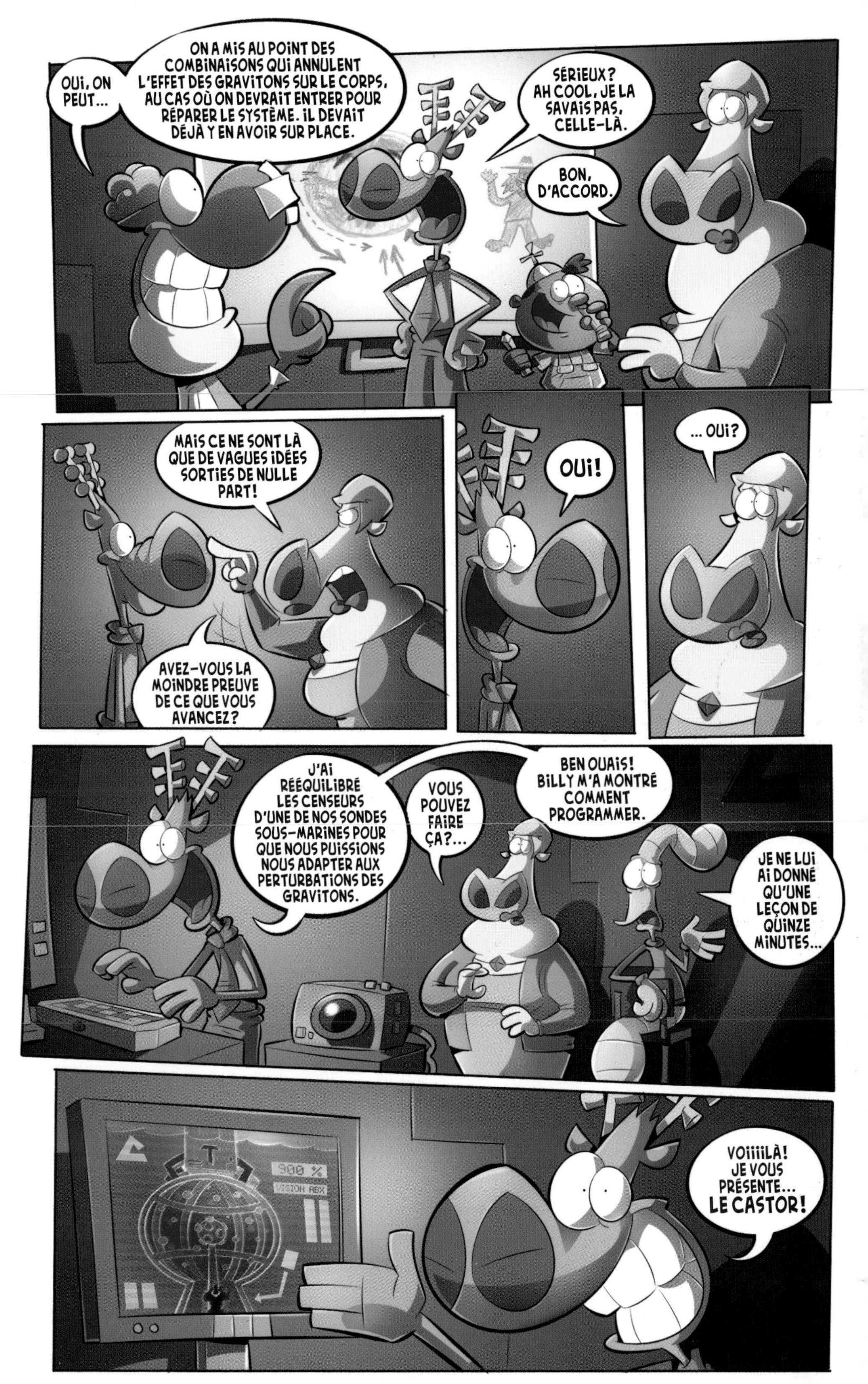
OUI, ON PEUT...
ON A MIS AU POINT DES COMBINAISONS QUI ANNULENT L'EFFET DES GRAVITONS SUR LE CORPS, AU CAS OÙ ON DEVRAIT ENTRER POUR RÉPARER LE SYSTÈME. IL DEVAIT DÉJÀ Y EN AVOIR SUR PLACE.
SÉRIEUX? AH COOL, JE LA SAVAIS PAS, CELLE-LÀ.
BON, D'ACCORD.
MAIS CE NE SONT LÀ QUE DE VAGUES IDÉES SORTIES DE NULLE PART!
AVEZ-VOUS LA MOINDRE PREUVE DE CE QUE VOUS AVANCEZ?
OUI!
... OUI?
J'AI RÉÉQUILIBRÉ LES CENSEURS D'UNE DE NOS SONDES SOUS-MARINES POUR QUE NOUS PUISSIONS NOUS ADAPTER AUX PERTURBATIONS DES GRAVITONS.
VOUS POUVEZ FAIRE ÇA?...
BEN OUAIS! BILLY M'A MONTRÉ COMMENT PROGRAMMER.
JE NE LUI AI DONNÉ QU'UNE LEÇON DE QUINZE MINUTES...
900 %
VISION ABX
VOIIIILÀ! JE VOUS PRÉSENTE... LE CASTOR!

FORME DE VIE DÉTECTÉE
C'EST INOUÏ.
VOUS CROYEZ ENCORE QUE CE N'EST PAS L'ÉLU?
MOUAIS... MAIS RESTE QUE SA THÉORIE D'INVERSION DE LA TERRE RESTE VASEUSE. MMM!
ET QU'EST-CE QU'ON FAIT MAINTENANT? LA CASTOR DOIT DÉJÀ CONTRÔLER UNE BONNE PARTIE DE L'ÉDIFICE!
SI ON L'APPROCHE ET QU'IL NOUS DÉTECTE, ON EST MORTS!
J'AI UN PLAN, MAIS J'AURAI BESOIN DE CHACUN D'ENTRE VOUS POUR LE RÉUSSIR.
JE SUIS PEUT-ÊTRE L'ÉLU, MAIS JE NE PEUX PAS RÉUSSIR SEUL.

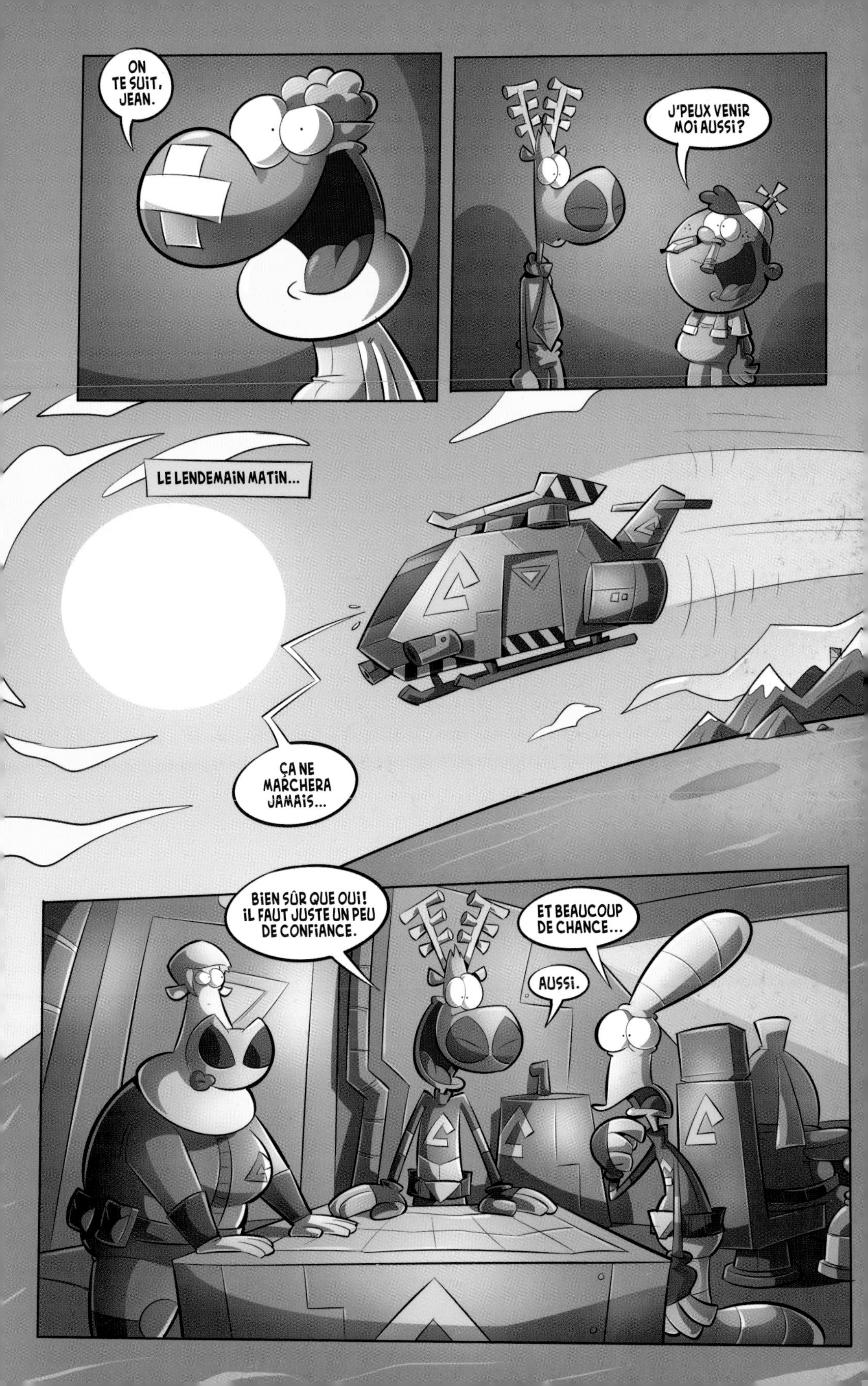
ON TE SUIT, JEAN.
J'PEUX VENIR MOI AUSSI?
LE LENDEMAIN MATIN...
ÇA NE MARCHERA JAMAIS...
BIEN SÛR QUE OUI! IL FAUT JUSTE UN PEU DE CONFIANCE.
ET BEAUCOUP DE CHANCE...
AUSSI.

MARTHA À BULLE ET HENRY, TOUT SE PASSE BIEN POUR VOUS?
NUMÉRO 1, MADAME, NOUS ALLONS ENTRER DANS L'ÉDIFICE DANS EXACTEMENT 57 SECONDES.
PARFAIT, PLUS DE TEMPS À PERDRE.
T'ES PRÊT, BILLY?
...NON.
SUPER, ALLONS-Y!
C'ÉTAIT QUOI MON DERNIER RECORD?
17 000 MÈTRES.
JE PEUX LE BATTRE TU CROIS?
TU PEUX TOUT FAIRE, JEAN.
3, 2, 1... GO!

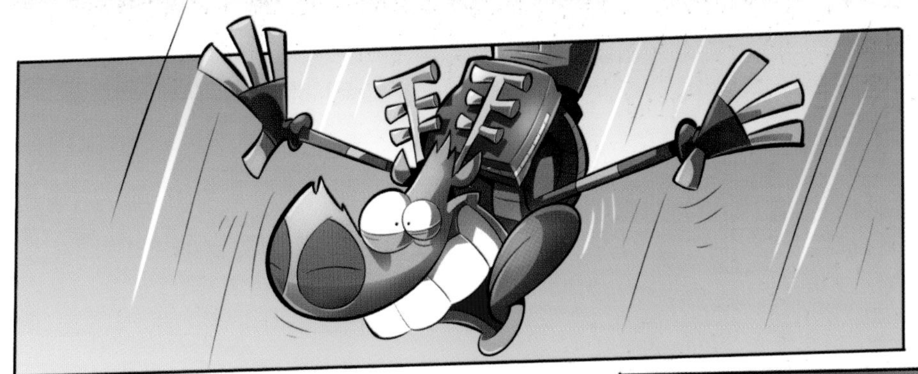

VOOOM
WOW... ÇA A PASSÉ PROCHE!

BANG

JEAN A ATTEINT LA VITESSE CRITIQUE, MADAME.
BIEN...

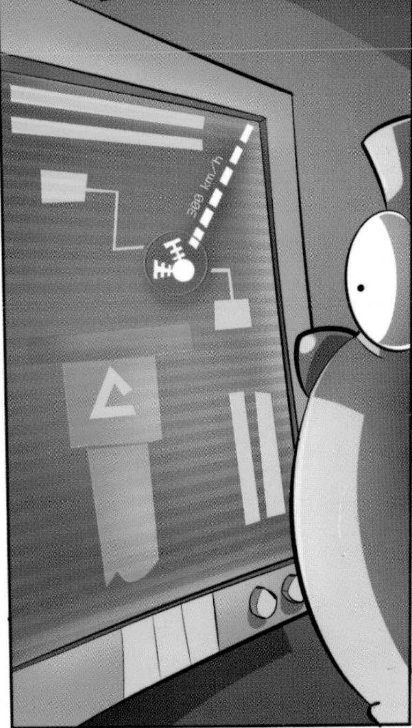
300 km/h

ON ARRIVE DANS 26 SECONDES, MADAME!
ÉDIFICE T

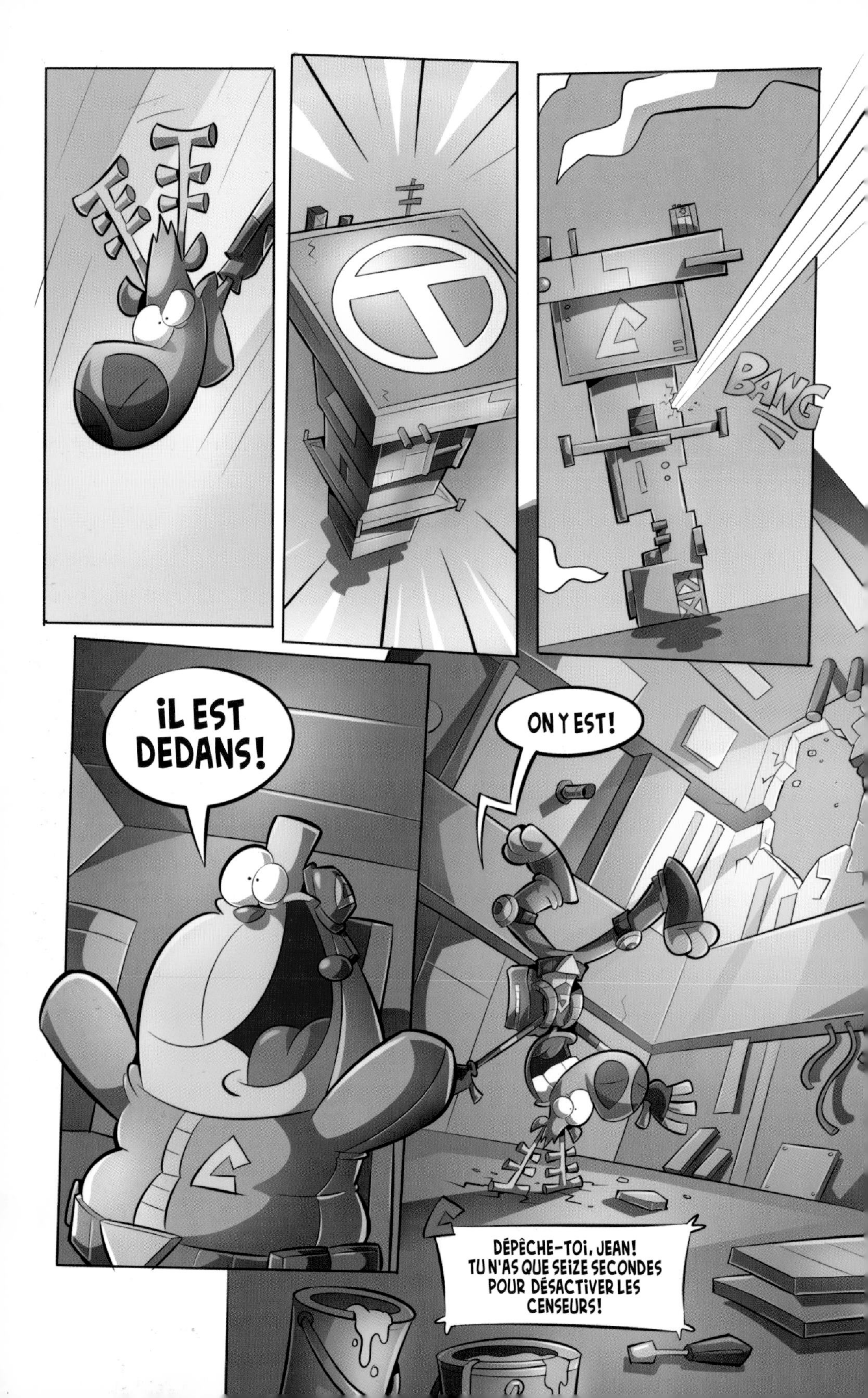
BANG
IL EST DEDANS!
ON Y EST!
DÉPÊCHE-TOI, JEAN! TU N'AS QUE SEIZE SECONDES POUR DÉSACTIVER LES CENSEURS!

FOUIT
TU PEUX SORTIR!
AÏE!

ÇA VA?
ALGAL BULA BOULB....

CLIK
UNITÉ CENTRALE

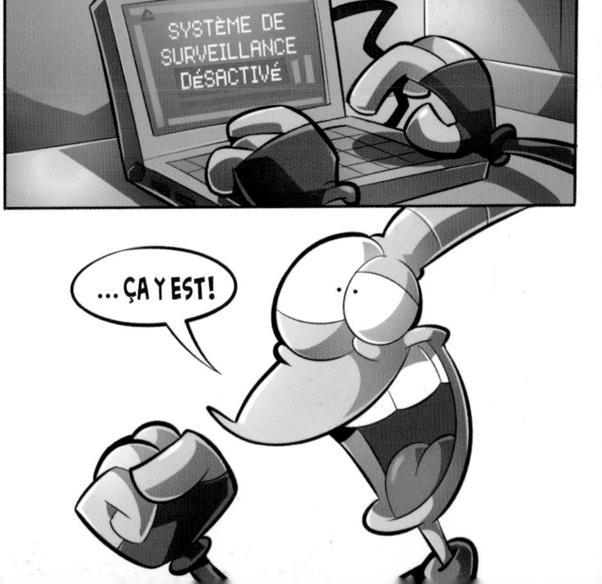
SYSTÈME DE SURVEILLANCE DÉSACTIVÉ
... ÇA Y EST!

WOW... BIEN REÇU.
UN JEU D'ENFANT!
ATTENDONS, C'EST LOIN D'ÊTRE GAGNÉ.

ON EST À L'INTÉRIEUR, MADAME!

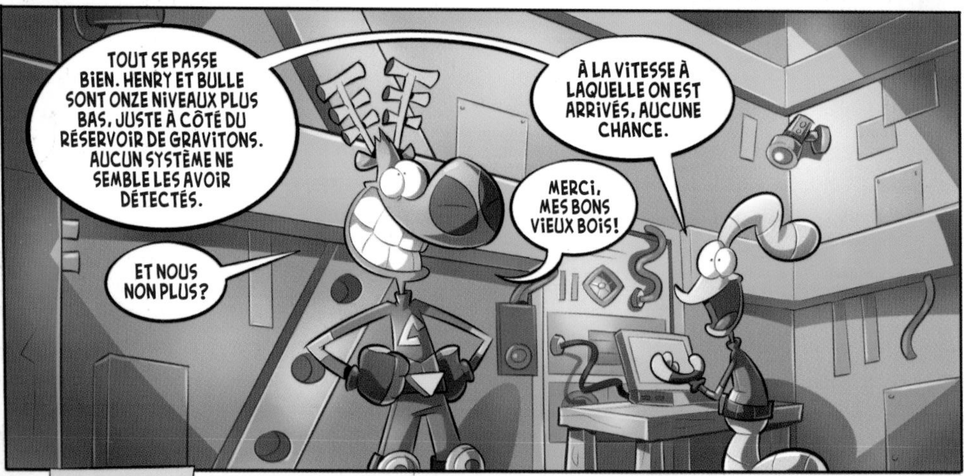

TOUT SE PASSE BIEN. HENRY ET BULLE SONT ONZE NIVEAUX PLUS BAS, JUSTE À CÔTÉ DU RÉSERVOIR DE GRAVITONS. AUCUN SYSTÈME NE SEMBLE LES AVOIR DÉTECTÉS.
À LA VITESSE À LAQUELLE ON EST ARRIVÉS, AUCUNE CHANCE.
ET NOUS NON PLUS?
MERCI, MES BONS VIEUX BOIS!

PLUS TARD...
C'EST ENCORE LOIN LE MACHIN À GRAVITATIONS?
GRAVITONS!
ÇA MANGE QUOI, ÇA, EN HIVER?

PFF, T'AS JAMAIS PRIS DE COURS D'ASTROPHYSIQUE AVANCÉE, OU QUOI?
... PAS QUE JE ME SOUVIENNE...
LES GRAVITONS, LES PARTICULES ÉLÉMENTAIRES HYPOTHÉTIQUES RESPONSABLES DE LA GRAVITÉ DANS LES SYSTÈMES DE GRAVITÉ QUANTIQUE! LE QUANTUM DE LA FORCE GRAVITATIONNELLE! UN BOSON DE MASSE NULLE ET DE SPIN ÉGAL À DEUX!
... AHHH, OUAIS... UN BOSON DE QUANTUM... ÇA ME REVIENT.
PFF, VOUS LES AGENTS, VOUS PASSEZ TROP DE TEMPS À COURIR PARTOUT ET PAS ASSEZ À VOUS INSTRUIRE.
HAAA! C'EST QUOI ÇA?!
... UNE SOURIS, HENRY. ÇA NE MORD PAS.
MAIS SI! ELLES PEUVENT MÊME DONNER LA RAGE!!!
ÇA, CE SONT LES CHAUVES-SOURIS.
J'EN CONNAIS PEUT-ÊTRE PAS BEAUCOUP SUR LA PHYSIQUE, MAIS, AU MOINS, J'AI PAS PEUR DE SORTIR DEHORS...
TU SAVAIS QUE 92% DES MORTS ACCIDENTELLES ONT LIEU À L'EXTÉRIEUR? C'EST DANGEREUX COMME ENDROIT!!!
BIEN SÛR... TU PEUX RETOURNER AU SOUS-MARIN SI TU VEUX. JE VAIS CONTINUER TOUTE SEULE...
WOOOUP!
SPLAT!

OH...
JE CROIS
QU'ON Y
EST!
TAK
COOOL!!! ON VOLE!
LÀ ÇA COMMENCE
À M'INTÉRESSER TON
HISTOIRE DE GRAVITONS!
J'AI MAL
AU CŒUR...
S'IL EST
CONSTRUIT COMME
LES AUTRES ÉDIFICES DE
L'AGENCE, LES CELLULES
DOIVENT ÊTRE
PAR ICI!

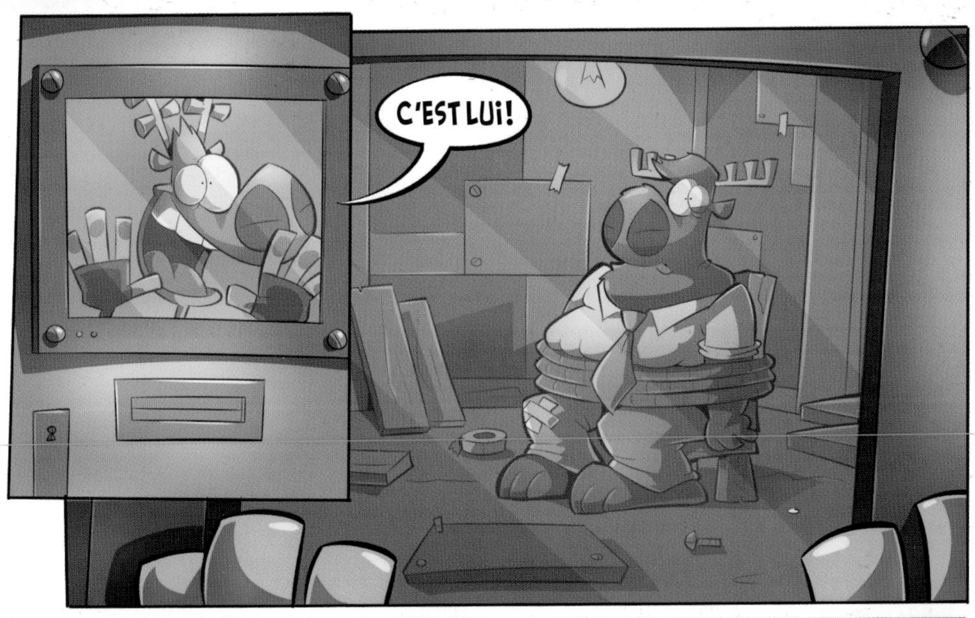
C'EST LUI!

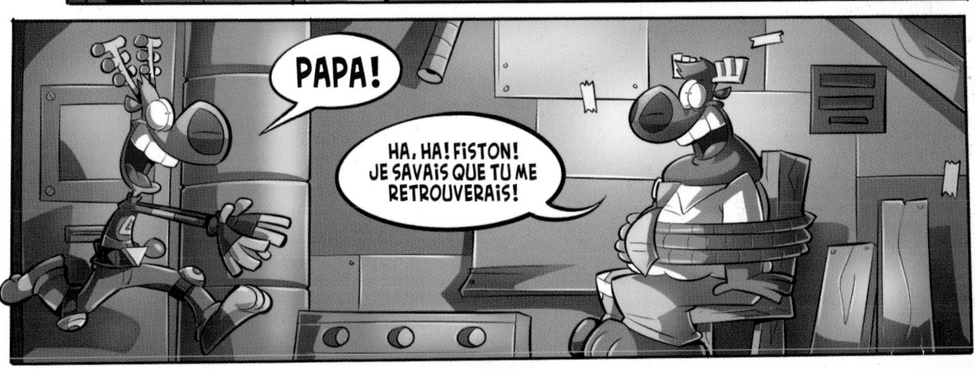
PAPA!
HA, HA! FISTON! JE SAVAIS QUE TU ME RETROUVERAIS!

COMMENT VOUS ÊTES ENTRÉS?
J'AI MIS BILLY DANS MON SAC À DOS ET J'AI DÉFONCÉ LE MUR À 3000 KM/H.
T'AS PENSÉ À ÇA TOUT SEUL?

BEN, OUAIS! OH C'EST VRAI, JE T'AI PAS DIT ÇA? ÇA A L'AIR QUE JE SUIS LA RÉINCARNATION DU FONDATEUR, OU QUELQUE CHOSE COMME ÇA...
T'ES L'ÉLU?!

HA! HA!

ALORS, LE CASTOR N'A AUCUNE CHANCE CETTE FOIS.
NOUS LE VAINCRONS UNE BONNE FOIS POUR TOUTES.

BON, COMMENT ON LES ARRÊTE CES GRAVITONS? Y'A PAS UN GROS BOUTON «ARRÊT» QUELQUE PART?

ALLONS, C'EST BIEN PLUS COMPLEXE! IL FAUT COMMENCER PAR DÉTECTER L'ONDE GRAVITATIONNELLE PRINCIPALE AVEC UN HYPER-INTERFÉROMÈTRE...
TU VOIS UNE PRISE ÉLECTRIQUE QUELQUE PART?

ARRÊT

BIP
BIOOOOUUUU!

BADOUM
PAF

...T'AS ENCORE BESOIN DE TON... GRAVITOMÈTRE TRUC...
AÏE...

PARLANT DU CASTOR, COMMENT IL VOUS A EMMENÉ ICI?
JE SUIS PAS SÛR... JE DORMAIS DANS MON LIT, J'AI VU UNE GRANDE LUMIÈRE PAR MA FENÊTRE, ENSUITE J'AI UN GROS TROU DE MÉMOIRE... ET JE ME SUIS RÉVEILLÉ ICI.

HUM...
Y'A UN PROBLÈME, BILLY?

CETTE MACHINE, JEAN... ELLE EST PRESQUE IDENTIQUE À CE QU'ON UTILISAIT PENDANT TON ENTRAÎNEMENT... JE CROIS QUE C'EST UN PROJECTEUR HOLOGRAPHIQUE!
COMME DANS STAR TREK?!

SI ON VEUT...
L'ÉDIFICE EN CONTIENT SÛREMENT PLUSIEURS...

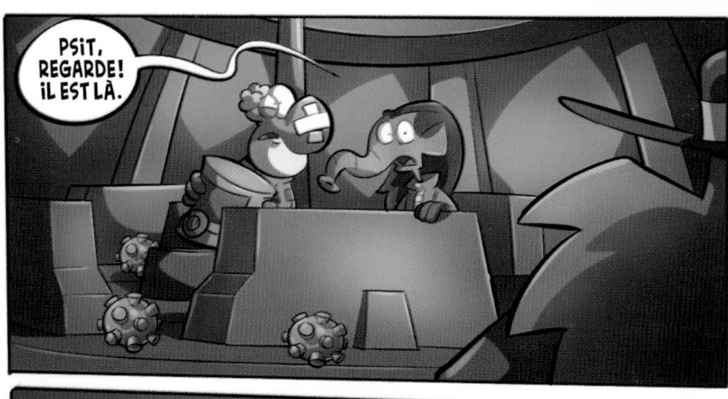
PSIT, REGARDE! IL EST LÀ.

IL N'A MÊME PAS L'AIR DE SAVOIR QU'ON EST ICI!
Y'A QUELQUE CHOSE QUI CLOCHE... POURQUOI IL NE PORTE PAS DE COMBINAISON, COMME NOUS?...

PEU IMPORTE.
ON LE TIENT! ENFIN!

PAS MAL POUR UNE STAGIAIRE. JE VAIS CAPTURER LE PLUS GRAND MÉCHANT DE L'HISTOIRE!

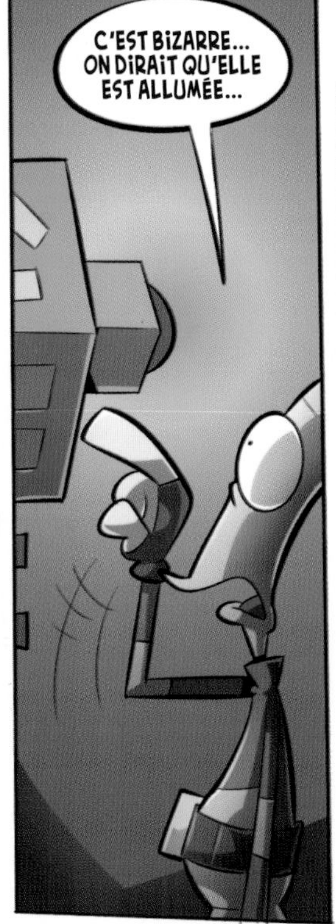
C'EST BIZARRE... ON DIRAIT QU'ELLE EST ALLUMÉE...

C'EST PAS VRAI...

ATTENTION!

PAK
AÏE.

YAAAA!!!

ZTWIN

LE CASTOR NOUS A EUS, JEAN.
IL SAIT QU'ON EST ICI.

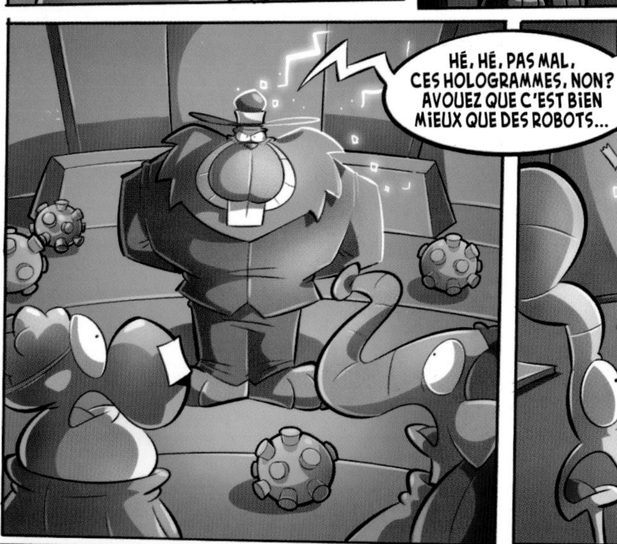
HÉ, HÉ, PAS MAL, CES HOLOGRAMMES, NON? AVOUEZ QUE C'EST BIEN MIEUX QUE DES ROBOTS...

COMMENT T'AS SU QU'ON ÉTAIT LÀ?!
MAIS ALLEZ-VOUS ARRÊTER DE ME SOUS-ESTIMER, UN JOUR? JE SUIS LE CASTOR!
LE GROS MÉCHANT DE L'HISTOIRE! VOUS NE POURREZ PAS M'ARRÊTER SANS FAIRE UN PEU D'EFFORTS.

BON, PASSONS MAINTENANT À LA SECONDE PHASE DE MON PLAN...
VOTRE SOUFFRANCE!

REGARDE BIEN CE QU'IL PRÉPARE, JE SUIS SÛR QUE ÇA VA ÊTRE DÉMENTIEL!
GULP.

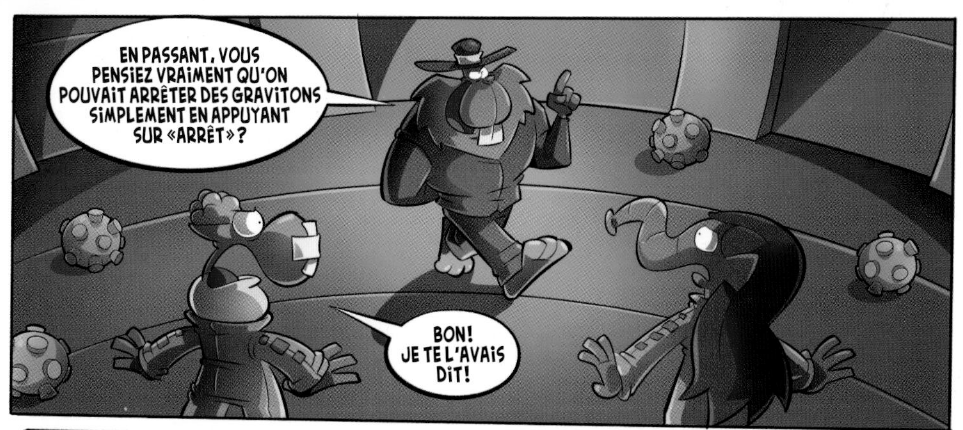
EN PASSANT, VOUS PENSIEZ VRAIMENT QU'ON POUVAIT ARRÊTER DES GRAVITONS SIMPLEMENT EN APPUYANT SUR «ARRÊT»?
BON! JE TE L'AVAIS DIT!

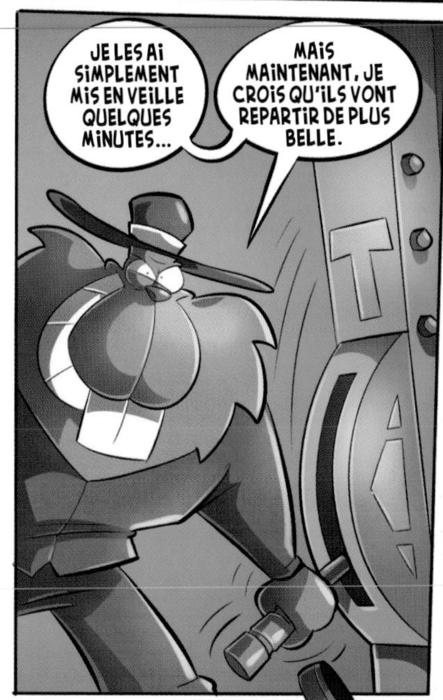
JE LES AI SIMPLEMENT MIS EN VEILLE QUELQUES MINUTES...
MAIS MAINTENANT, JE CROIS QU'ILS VONT REPARTIR DE PLUS BELLE.

HÉ MERDE...

HAAAAARG!!!

HENRY! BULLE! iL FAUT DESCENDRE POUR LES SAUVER!
ALLEZ-Y QUAND VOUS VOULEZ! J'ESPÈRE JUSTE QUE MES AUTRES...
... MOi, NE SERONT PAS DANS VOS JAMBES.
C'EST PAS VRAi!!!
CALME-TOi, CE NE SONT QUE DES HOLOGRAMMES!
DES HOLOGRAMMES SOLiDES. FAiTS AVEC PHOTONS ET CHAMPS DE FORCE. C'EST TOUT SiMPLE!
AYOYE!
C'EST VRAiMENT COMME DANS STAR TREK!
PAF

ARG! GRRR!!! HAAA!! ¡RRRGG!!
LES QUATRE NE RÉPONDENT PLUS, MADAME...
C'ÉTAIT TROP BEAU POUR ÊTRE VRAI.
ON DESCEND!
BILLY, REGARDE DANS MON SAC À DOS!
QU'EST-CE QUE JE SUIS SUPPOSÉ TROU...
JEAN! ATTRAPE!
OH!
VOUS M'AVEZ MANQUÉ, LES AMIS!

KUNG-FU!!!
QUINZE MINUTES PLUS TARD...
OUF, ÇA COMMENCE À EN FAIRE BEAUCOUP...
POF
T'ES ESSOUFFLÉ?
BEN, JE POURRAIS ENCORE ME BATTRE QUELQUES HEURES, MAIS ÇA N'A PAS L'AIR PARTI POUR S'ARRÊTER.
HÉ, MAIS JE N'AI QU'À DÉTRUIRE LE PROJECTEUR!
GRAK
OH, ON DIRAIT UN CHAMP DE FORCE!
T'AS QU'À ARRÊTER LE PROGRAMME ALORS.

SON PROGRAMME EST VRAIMENT BIEN PROTÉGÉ! JE NE CROIS PAS POUVOIR LE DÉSACTIVER!

BON, ALORS... CONTINUONS! MAIS J'ESPÈRE QUE ÇA VA ARRÊTER BIENTÔT, JE NE VOUDRAIS PAS ÊTRE EN RETARD À TON MARIAGE.
HÉ C'EST VRAI! C'EST CE SOIR!
T'AS TROUVÉ UN GÂTEAU, FINALEMENT?

OUAIS, MONSIEUR MOIGNONS M'EN A FAIT UN DE TROIS MÈTRES DE HAUT! QUEL CUISINIER!
Y'A DE LA MAGIE DANS SES MOIGNONS!
ÇA TE DIRAIT D'ÊTRE MON TÉMOIN?
POUR QUOI FAIRE?

BEN, POUR ÊTRE TÉMOIN DU MARIAGE.
... MAIS JE VAIS DÉJÀ ÊTRE LÀ, ÇA CHANGERAIT QUOI?
PIF!
KOF!
C'EST BIEN TROP VRAI...

BON ÇA VA, ÇA DEVIENT UN PEU LONG.
PAS QUE C'EST PAS INTÉRESSANT VOS HISTOIRES DE MARIAGE, MAIS FAUDRAIT QUE L'HISTOIRE AVANCE UN PEU...

POF
POF
POF
MERCI!
POF

TU VOIS, AU FOND, IL EST GENTIL! C'EST UN AIR QU'IL SE DONNE.
OH, NE PARLE PAS TROP VITE. J'AI PRÉVU AUTRE CHOSE POUR TOI...

TU CHERCHAIS TON PÈRE? EH BIEN, IL EST ICI... BIEN AU CHAUD, RECOUVERT DE DYNAMITE.

BIEN ESSAYÉ! MAIS ÇA NE SERT À RIEN DE LA DYNAMITE SI ON N'A PAS DE DÉTONATEUR!

OH...
IL EST FORT.

ET TES DEUX AUTRES AMIS SONT EN TRAIN DE MOURIR SOUS LA... PRESSION. HI! HI! JE NE PARLE PAS DE STRESS INTENSE ICI, MAIS BIEN DE GRAVITÉ AMPLIFIÉE...
MAIS JE CROIS QUE VOUS L'AVIEZ COMPRIS.

IL N'Y A QUE MOI QUI PUISSE ARRÊTER CETTE MACHINE. ALORS, SI TU VEUX QUE TOUT CE BEAU MONDE SURVIVE, MONTE SUR LE TOIT DE L'ÉDIFICE. SEUL.
IL EST TEMPS QU'ON PARLE, AGENT JEAN.

J'ARRIVE.

PSSSSSS...

QU'EST-CE QU'ON VA FAIRE? C'EST CLAIREMENT UN PIÈGE!
...TU AS DIT QUE TU NE POUVAIS PAS ARRÊTER SON PROGRAMME, N'EST-CE PAS?
EFFECTIVEMENT...

ET SI ON EN CRÉAIT UN DEUXIÈME?

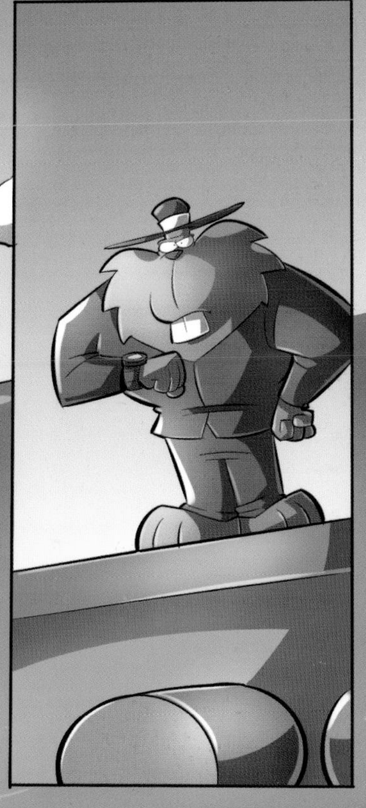

IL FAIT BEAU, NON?
OUAIS... UN BEAU SOLEIL. ET IL FAIT JUSTE ASSEZ CHAUD.

C'EST VRAI, C'EST BIEN QUAND C'EST PAS TROP HUMIDE.
OUAIS...

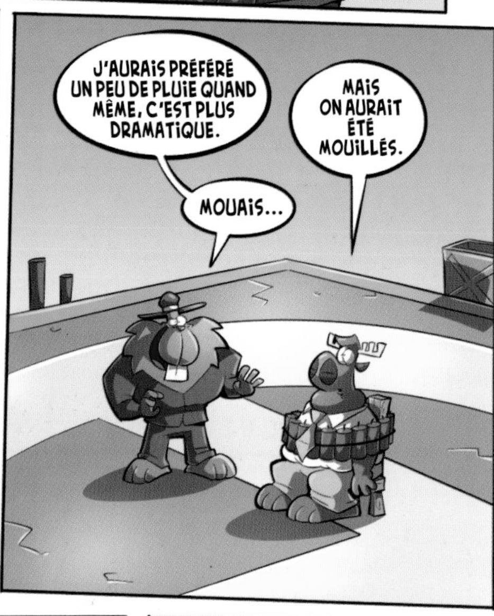
J'AURAIS PRÉFÉRÉ UN PEU DE PLUIE QUAND MÊME, C'EST PLUS DRAMATIQUE.
MOUAIS...
MAIS ON AURAIT ÉTÉ MOUILLÉS.

DING!

AGENT JEAN! BIENVENUE...
DANS L'ACTE FINAL.

ALORS, POURQUOI TU VOULAIS ME VOIR?
TU SAIS QUEL EST MON PLAN, JEAN? JE NE VEUX PAS PRENDRE LE CONTRÔLE DE L'AGENCE CETTE FOIS. TROP COMPLIQUÉ... JE VEUX SIMPLEMENT... DÉTRUIRE LE MONDE.
EN ME SERVANT DES GRAVITONS ICI POUR...
¡INVERSER LA ROTATION DE LA TERRE!
SÉRIEUSEMENT?
JE L'AVAIS DIT!
MAIS AVANT... ÇA FAIT LONGTEMPS QUE JE T'ÉTUDIE... TU ES BIZARRE, JEAN.
ON DIRAIT QUE RIEN NE T'ATTEINT VRAIMENT. JE ME DEMANDE MÊME SI TU ARRIVES RÉELLEMENT À RESSENTIR DES CHOSES...

ALORS, JE ME SUIS DIT QUE CE SERAIT UNE BONNE IDÉE DE FAIRE EXPLOSER TON PÈRE DEVANT TOI, JUSTE POUR VOIR... CE QUE ÇA TE FERAIT.

OK! MAIS AVANT... ON FAIT UN PETIT COMBAT?
HM?

C'EST LA TRADITION! LE HÉROS ET LE MÉCHANT SE LIVRANT UN GRAND COMBAT ÉPIQUE À LA FIN DE L'HISTOIRE.
J'AI TOUJOURS TROUVÉ ÇA COOL!

HI! HI, MOI AUSSI, J'AVOUE. D'ACCORD. EN SOUVENIR DU BON VIEUX TEMPS.

PRÊT?
OUAIP!

COMBAT!
ÉTANT DONNÉ LA VIOLENCE DE CETTE SCÈNE, NOUS PRÉFÉRONS VOUS MONTRER UN MESSAGE DE NOTRE COMMANDITAIRE.
BONJOUR! MOI, QUAND J'AI BESOIN D'ÉNERGIE POUR COMMENCER LA JOURNÉE, JE PRENDS UNE BONNE GROSSE POMME-BANANE.
TOUTE LA SAVEUR D'UNE POMME DANS LA FORME PRATIQUE D'UNE BANANE.
MIAM! LES BONNES VITAMINES!
POMME-BANANE, C'EST BON ET ÇA GOÛTE BON!
MOI J'AIME PAS ÇA.
POURQUOI TU SOURIS ENCORE?
TU VOIS BIEN QUE TU AS PERDU! TU AS TOUT PERDU. HENRY ET BULLE SONT PRESQUE MORTS...
LE MONDE S'APPRÊTE À TOURNER EN SENS INVERSE...
ET TU VAS PERDRE TON PÈRE POUR UNE DEUXIÈME FOIS.
ES-TU SEULEMENT INCONSCIENT, OU CARRÉMENT STUPIDE?
OU ALORS TU N'ES QU'UN PSYCHOPATHE, COMME MOI.
HU! HU! NON CASTOR, JE SOURIS PARCE QUE...
JE T'AI EU!

QUOI?
T'ÉTAIS PAS LÀ?!
PRATIQUES CES HOLOGRAMMES, NON?
T'AS PERDU, CASTOR. TU PERDRAS TOUJOURS. PARCE QU'À LA FIN...

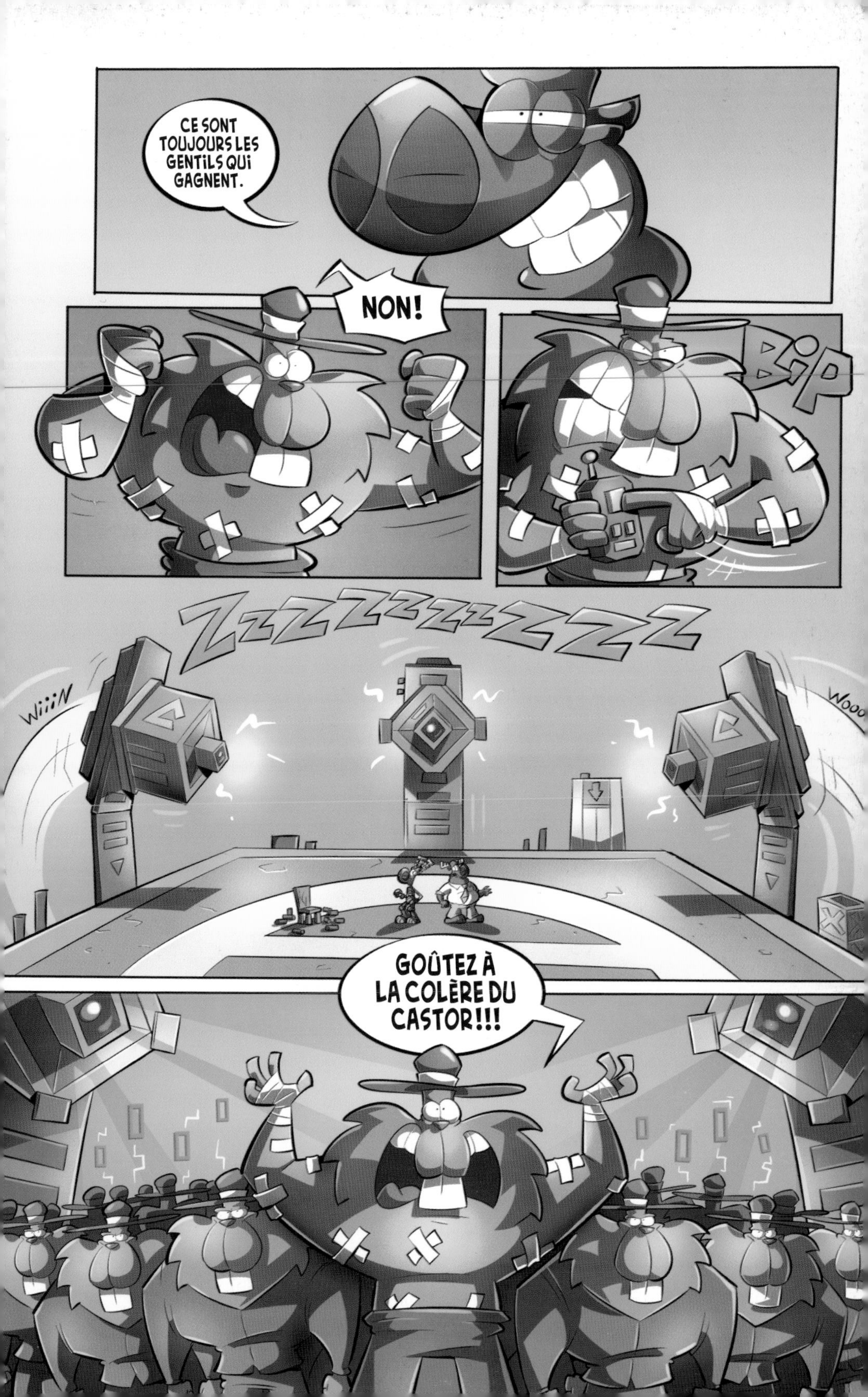
CE SONT TOUJOURS LES GENTILS QUI GAGNENT.
NON!
BIP
ZzzZZzzzZZZZ
WiiiN
Wooo
GOÛTEZ À LA COLÈRE DU CASTOR!!!

BILLY, ACTIVE LE PROGRAMME...
... MAINTENANT!
NO PROBLEMO!
TAP
TAP
TAP
WOUUUUUNNN

PLAF!
KOF!
TOX!
KORF
KLIF

FOP
ZAG
TAF
VOUIN
C'EST PAS TOUT ÇA, IL MANQUE ENCORE LE BOUM FINAL!
BOUM
KAKROUTCH
PAPA!

SAUTEZ!!!

VAS-Y JEAN,
JE TE REJOINS!

WOP!
WIP!

J'AI PEUT-ÊTRE PERDU, MAIS CETTE FOIS, JE NE RATERAI PAS MON COUP...

TU DEVAIS MOURIR IL Y A VINGT ANS.

NOUS DEVIONS MOURIR IL Y A VINGT ANS.

ARG!
POF

JE TE TIENS!

MAIS OÙ T'ÉTAIS IL Y A VINGT ANS, TOI?!
JE NE TE PERDRAI PLUS, PAPA.

JE VOUS AURAI!!!
TRÈS BIENTÔT...

TU CROIS QU'ILS VONT REVENIR?
OH! MON DIEU, ON A OUBLIÉ BULLE ET HENRY!
J'AI PLUS DE CAGE THORACIQUE.
QUELQUES HEURES PLUS TARD, À L'ÉDIFICE A.
NOUS SOMMES RÉUNIS ICI AUJOURD'HUI POUR CÉLÉBRER L'UNION DE BILLY ET POLO.

BILLY, ACCEPTEZ-VOUS DE PRENDRE POUR ÉPOUX POLO, DÉGUISÉ EN BALLERINE, ICI PRÉSENT.
OH OUI!

JEAN... ÇA NE TE DONNE PAS DES IDÉES, CETTE CÉRÉMONIE?
OH! OUAIS...

ÇA ME DONNE ENVIE D'ALLER AUX GLISSADES D'EAU.
MAIS NON!
JE VEUX DIRE...
ERF...

SI QUELQU'UN S'OPPOSE À CE MARIAGE, QU'IL PARLE MAINTENANT OU SE TAISE À JAMAIS.

JE M'OPPOSE!

HEIN?

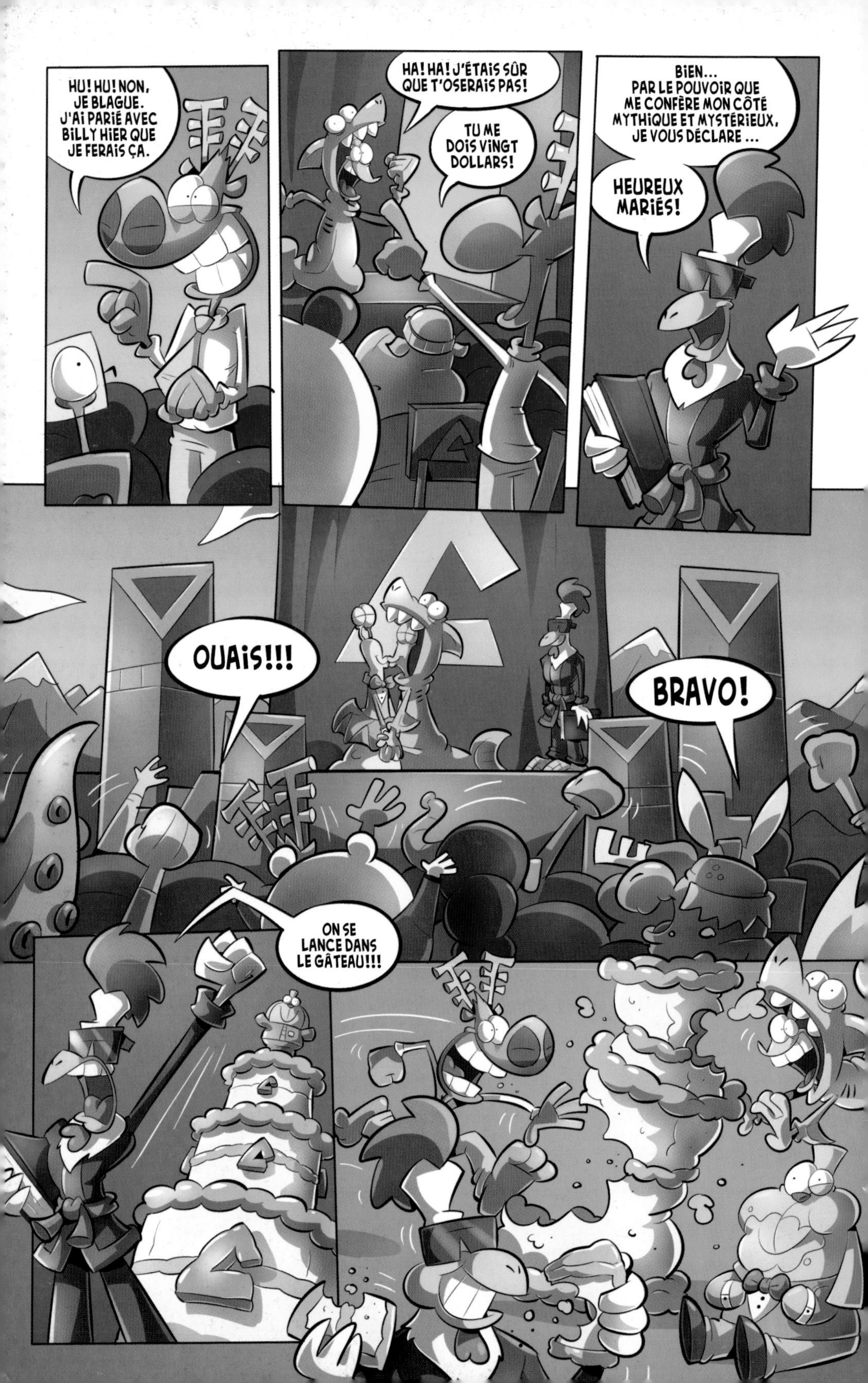
HU! HU! NON, JE BLAGUE. J'AI PARIÉ AVEC BILLY HIER QUE JE FERAIS ÇA.
HA! HA! J'ÉTAIS SÛR QUE T'OSERAIS PAS!
TU ME DOIS VINGT DOLLARS!
BIEN... PAR LE POUVOIR QUE ME CONFÈRE MON CÔTÉ MYTHIQUE ET MYSTÉRIEUX, JE VOUS DÉCLARE ...
HEUREUX MARIÉS!
OUAIS!!!
BRAVO!
ON SE LANCE DANS LE GÂTEAU!!!

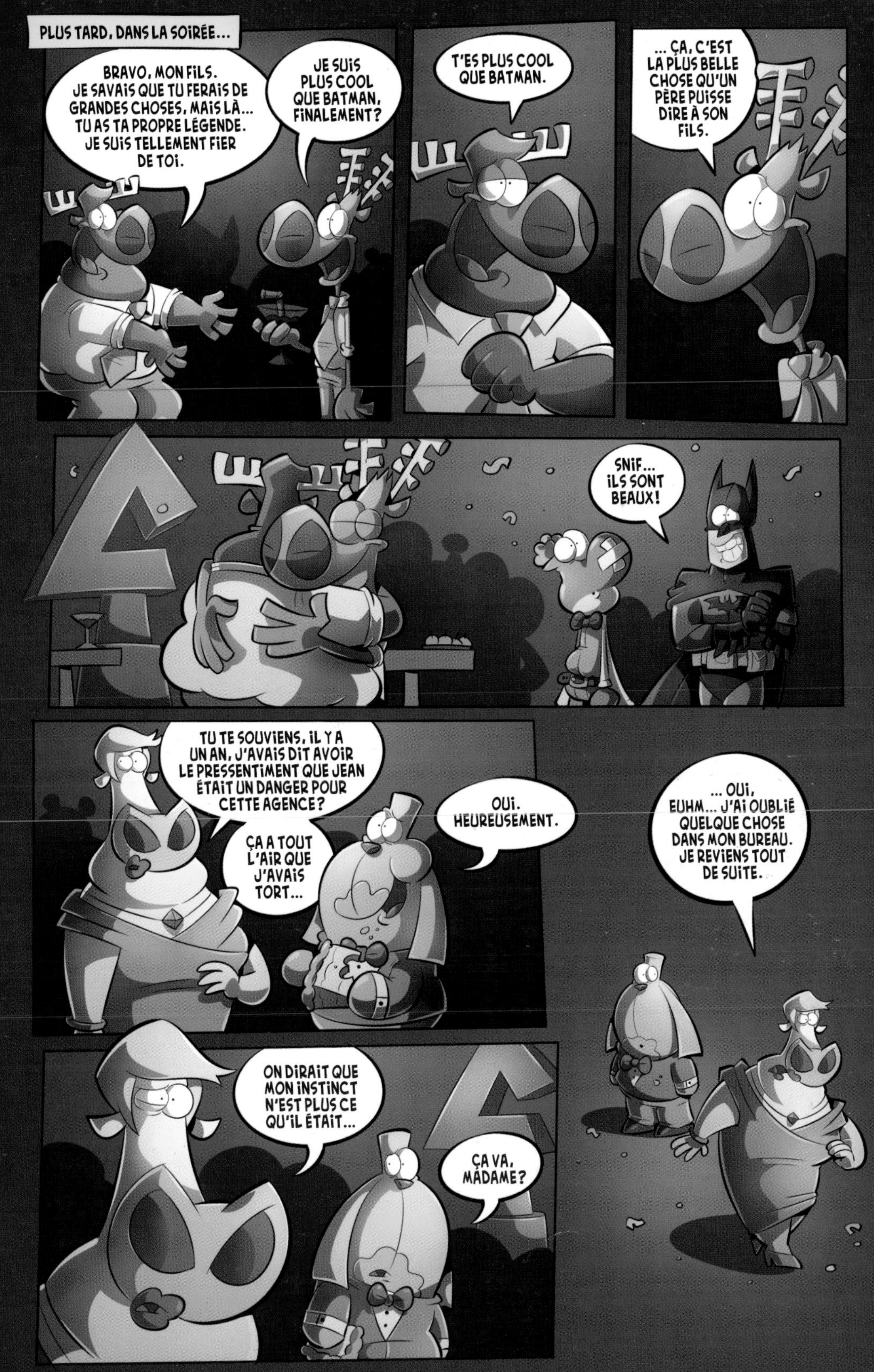
PLUS TARD, DANS LA SOIRÉE...
BRAVO, MON FILS. JE SAVAIS QUE TU FERAIS DE GRANDES CHOSES, MAIS LÀ... TU AS TA PROPRE LÉGENDE. JE SUIS TELLEMENT FIER DE TOI.
JE SUIS PLUS COOL QUE BATMAN, FINALEMENT?
T'ES PLUS COOL QUE BATMAN.
... ÇA, C'EST LA PLUS BELLE CHOSE QU'UN PÈRE PUISSE DIRE À SON FILS.
SNIF... ILS SONT BEAUX!
TU TE SOUVIENS, IL Y A UN AN, J'AVAIS DIT AVOIR LE PRESSENTIMENT QUE JEAN ÉTAIT UN DANGER POUR CETTE AGENCE?
ÇA A TOUT L'AIR QUE J'AVAIS TORT...
OUI. HEUREUSEMENT.
ON DIRAIT QUE MON INSTINCT N'EST PLUS CE QU'IL ÉTAIT...
ÇA VA, MADAME?
... OUI, EUHM... J'AI OUBLIÉ QUELQUE CHOSE DANS MON BUREAU. JE REVIENS TOUT DE SUITE.

BILLY! BRAVO, À VOUS DEUX, C'EST SUPER!
MERCI, HENRY.
J'AVOUE QUE ÇA DONNE ENVIE DE FAIRE PAREIL!

PEUT-ÊTRE QUAND TON PROGRAMME SERA UN PEU PLUS AU POINT...
PFF, ME MARIER AVEC UN ÊTRE ORGANIQUE?
NON MERCI.

OH! J'AVAIS PENSÉ À UN CADEAU DE MARIAGE POUR VOUS DEUX, MAIS JE L'AI OUBLIÉ DANS MON LABO. JE COURS LE CHERCHER!
HA! HA! NE TE PRESSE PAS TROP HENRY, LA SOIRÉE NE FAIT QUE COMMENCER!

ATTENTION! C'EST L'HEURE DU TRADITIONNEL LANCER DE MONSIEUR MOIGNONS!

ATTENTION...

QU'EST-CE QUI M'A PRIS DE PROPOSER ÇA...

WAAAA!!!

POF
OUI!
JE SAVAIS QU'IL Y AVAIT ENCORE DE L'ESPOIR!
TEST A.D.N.
EN COURS...
VOYONS... OÙ JE T'AI MIS DÉJÀ...
ANALYSE TERMINÉE.

HUM ?

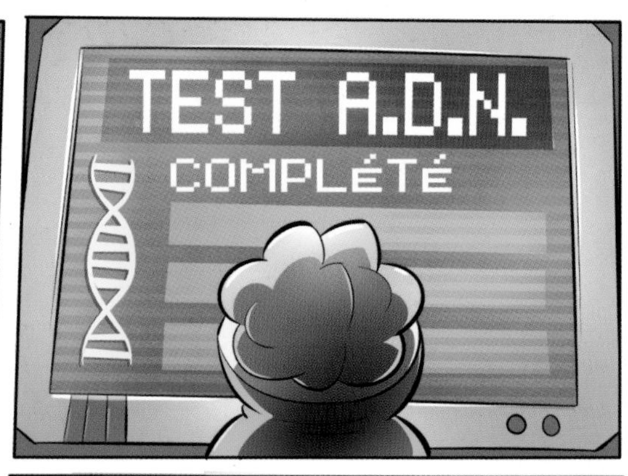
TEST A.D.N.
COMPLÉTÉ

ALORS, JEAN A UN LIEN DIRECT AVEC THÉODORE ET...

... NON. C'EST... IMPOSSIBLE...

IL DOIT Y AVOIR UNE ERREUR...
TAP
TAP
TAP

100%

JE...
JE DOIS AVERTIR JEAN.

PAS SI VITE.
GNNN!!!
MON PAUVRE, PAUVRE HENRY...
DÉSOLÉ, MAIS C'EST LÀ QUE ÇA S'ARRÊTE POUR TOI!

TU CROYAIS VRAIMENT M'INJECTER DES SÉDATIFS?
ÇA FAIT DES MOIS QUE JE LES REMPLACE PAR DE L'EAU SUCRÉE!

ÇA EXPLIQUE MES CARIES D'AILLEURS... PEU IMPORTE.

SI TU SAVAIS TOUT CE QUE JE T'AI FAIT FAIRE DANS TON SOMMEIL...

PATRON, TOUT EST EN PLACE. ON GÂCHE LA FÊTE?

OUI, JE CROIS QUE LE MOMENT EST BIEN CHOISI.

POURQUOI JE ME SENS COMME ÇA...
TOUT VA POURTANT SI BIEN!
POURQUOI JE CONTINUE À DOUTER... SANS ARRÊT.
PEUT-ÊTRE QUE JE DEVRAIS FAIRE COMME WXT, ET ME RETIRER, MOI AUSSI... JE N'AI PEUT-ÊTRE PLUS CE QU'IL FAUT.
BIP BIP

HUM ?

BIP
BIP

J'AVAIS RAISON.

BOUM !!

C'ÉTAIT QUOI?
UNE EXPLOSION?!
BOUM
BOUM
BOUM

POLO!!!

KABOUM
BOUM
MAIS... QU'EST-CE QUI SE PASSE?

CRAK
MAIS...
A SUIVRE...

BANDES DESSINÉES DÉJÀ PUBLIÉES

LE CERVEAU
DE L'APOCALYPSE

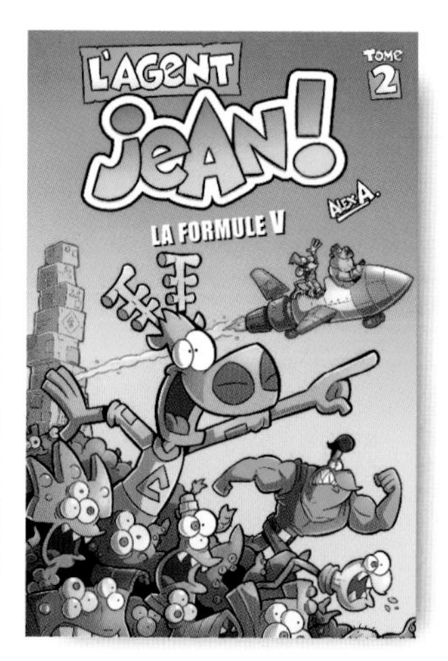

LA FORMULE V

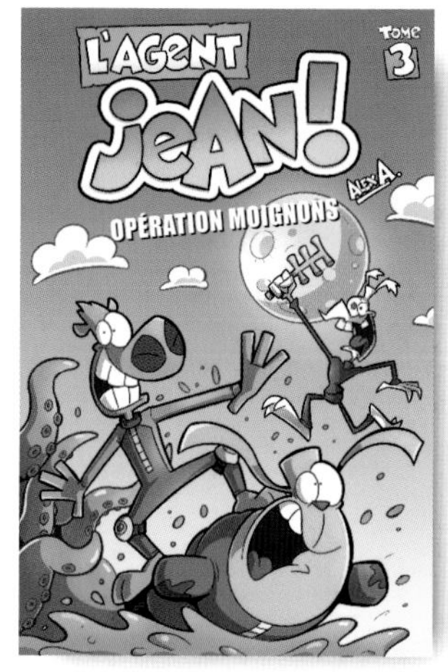

OPÉRATION
MOIGNONS

LA PROPHÉTIE
DES QUATRE

LE FRIGO
TEMPOREL

UN MOUTON
DANS LA TÊTE

L'UNIVERS EST UN
NINJA
DE NOUVEAUX PERSONNAGES
À DÉCOUVRIR EN 2015.
alexbd.com

alex@alexbd.com
alexbd.com
www.facebook.com/agentjean

TAK